For my mother, Francisca Molinar Velásquez,
for my father, John E. Velásquez and
for my brother Fini, John Robert Velásquez

. . .

Para mi madre, Francisca Molinar Velásquez,
para mi padre, John E. Velásquez,
y para mi hermano Fini, John Robert Velásquez

XICANA
ON THE RUN

by
Gloria L. Velásquez

• • •

Introduction by
José Montoya

CHUSMA
HOUSE

CHUSMA HOUSE PUBLICATIONS

ISBN: 1-891823-09-4

Library of Congress Control Number: 2005924883

Cover Illustration
Brandi Lynn Treviño

Graphic Design and Typography
Orange Frog Design • www.o-frog.com

Chusma House Publications
P.O. Box 467 • San José, CA 95103
phone: (408) 947-0958
email: chusmahouse@earthlink.net
www.chusmahouse.com

First Printing
Patsons Media Group
Sunnyvale, California

TABLE OF CONTENTS

Introduction by José Montoya v

About the Author/Acerca De La Autora ....ix/viii

Acknowledgments/Agradecimientos.................................xi/x

About the Cover Artist xii

About the Translators xiii

. . .

Dangerous Mind/Mente peligrosa 5/4

Lessons of Vietnam/Lecciones de Vietnam 7/6

Son in Vietnam/Hijo en Vietnam..9/8

Homenaje a Francisca/Homenaje a Francisca 13/12

Mi barrio/Mi barrio..17/16

Dad/Papá 21/20

Lupita/Lupita..23/22

José Martí y yo/José Martí y yo 27/26

Self-Portrait 1995/Autorretrato 1995 ....29/28

The American West/El oeste americano 31/30

On the Rez/En la rez..33/32

Aguila mujer/Aguila mujer 35/34

Edúcate/Edúcate 37/36

Going Home/Regresando a casa 39/38

Stevie/Stevie 43/42

Rudy/Rudy 47/46

Bobby's Full Moon/Luna llena de Bobby 49/48

La despedida/La despedida 51/50

Brandi/Brandi 53/52

Locura Love/Locura Love...55/54

Poema 20/Poema 20 ....57/56

My Lover #3/Mi amante #3 ....59/58

Mis mejores amantes/Mis mejores amantes..........................61/60

Faustian Lover/Amante faustino 65/64

Tu recuerdo y yo/Tu recuerdo y yo 69/68

Coming Into Nogalees/Coming Into Nogalees....................73/72

The Snake/La serpiente 77/76

Leaving Nogalees/Dejando Nogalees....................................79/78

God Bless America/Dios bendiga a América.......................83/82

Prison Wives/Esposas de prisión/ 85/84

Lost in Love: Mujeres crucificadas/

Perdida en amor: mujeres crucificadas 89/88

José Antonio/José Antonio 91/90

Lifers of Xicanismo/Lifers of Xicanismo 93/92

Big Top Locos/Big Top Locos 99/98

Ode to Burciaga y García Lorca/

Oda a Burciaga y García Lorca 103/102

Ana María/Ana María 105/104

Xicana Power Trip 109

Xicana on the Run 111

INTRODUCTION
by José Montoya

Xicana On The Run! With that provocative and appropriate title, Gloria Velásquez continues doing what she has been doing so well from the start of her writing career, which is running in the highways of the Chicano heart, diligently recording the pain and the joy in all the brutal honesty of Chicano existence. In her work we meet ourselves and we are forced to confront that Chicano reality – insuring, not only for us, but for the world, how crucial it is that our Chicanismo not be misunderstood. And the way she uses her poetic prowess, exposing painfully all aspects of the Chicano reality, we can rest assured that the window for misunderstanding is forever slammed shut!

I met Gloria a long time ago, and she was already running way back them. It was at the infamous Milwaukee Flor y Canto of 1975 or '76. In those days, Gloria Velásquez was Gloria Treviño, and she was very young, as I remember. The Milwaukee Flor y Canto was also the last of the festivals still steeped in naivety and the novelty of both enjoying the creative wonderment of our emerging literary energy and the felt tension incited by huge egos and power plays – locura and bravura – and, indeed, they were rowdy affairs, with Ricardo Sánchez y El Tigre Raimundo Pérez determined to having it out once and for all. And there were the poets and the artists of Aztlán choosing sides for the big blowout that, according to the sabrosísimo chisme, was to take place on the last day of the festival. But for now, a cease fire was agreed to until after the poets performed for the Raza in Oshkosh. That was one of the movimiento features Chicanos Studies departments had initiated from the beginning of the Cantos – utilizing their sources and the funding provided by the universities and then extending freebies to the Chicano communities. The RCAF had one of its heavy bombers for that mission – a brand new maxi Dodge van – and we were loading up to go to Oshkosh when this little girl came running up to the van out of breath and I asked if her parents were poets and the girl said no, but that she was. We all cracked up and Louie the Foot said, "That's great, hey, get in!" He introduced her to the crew and to another brother from Denver also looking for a lift to Oshkosh, Trinidad Sanchez Jr., otro carnal of proven staying power. Little did we know then the league of the long distance runners was forming and expanding – the lifers, I call'em.

Gloria Velásquez continues being one of the few authentic voices describing the plight of Chicano people. Certainly the authentic and assertive voice de la mujer Chicana, but beyond that, es la voz real de los Mejicanos de este lado – the Chicanos. And in this collection, Gloria Velásquez breaks free! Libre, and running true to form, and her liberation becomes our freedom. Make no mistake, no one can run in the shoes of a Chicana quite like a Chicana. Sounds simplistic, pero cómo va a correr alguien que no es Chicana como una Chicana? Not even a Mejicana can accomplish that feat. How can the most lyrical Mexican poet describe the Chcano experience like a Ricardo Sánchez can, or a Vengi Vigil? Octavio Paz, que en paz descanse, fell flat on his face trying to describe the pachucada en su laberinto. The truth of our hyphenated dreams and screams has to come from us, La Chicanada. La Gloria eres tú, dice la canción mexicana. And the joys as well as the travails of our oppression have to be described as truthfully and as honestly as our persistence to survive. Let's face it, truth is as close to heaven as Chicanos will ever get to la Gloria. So it is indeed refreshing to see how la escritora Velásquez hits the ground running, and just as our Chicano muralists have used the walls of the barrios to give our side of our struggle from our perspective, Gloria does this in her work in a way that appears almost effortless. Could it be it comes easy for the artistas y los escritores from, after all, being constantly made to run by the jura, la migra y los rinches? (Stretching a bit of cábula, there – one for my tocayo Burciaga, who made rascuachismo holy and who loved cábula – I'm certain Gloria will appreciate it.)

Putting aside the bantering, in reading Gloria's words, be prepared to enjoy and appreciate the wealth of advice she presents to us in her work, especially the encouragement to young people. And let us seriously examine the wisdom she provides regarding the three entities that consume Chicanos today and that Chicanos continue to run to, voluntarily or not. These three entities are the prison system, the armed services, , and to a lesser degree, higher education. In her work Gloria tackles those three aspects of our worldview with deft perception. Our affinity to the first two can be clearly understood. Prison for most Chicano families came with the territory and broken treaties. The second, the military, has always been seen in the barrio as a way out – so we've given, we have served and we have sacrificed in all the wars from the beginning. And sadly, academia isn't doing what we had in mind when we cracked open those hollowed halls of learning. We have gone from militant Chicano/a studies advocacy for change and MEChA activists to Hispanic Greeks and turning out correctional officers and super patriots. In Gloria's case, we see how her own affinity for knowledge wasn't always easy, yet her own travails with scholarship were overcome and now she can scream her rage as she runs to warn the barrios and, more importantly, show young Chicanas and Chicanos how to stay in college, how to succeed, and indeed, how to do it without losing their Chicano/a identity.

ACERCA DE LA AUTORA

Gloria L. Velásquez es una autora de reconocimiento internacional que recibió su doctorado de la Universidad de Stanford en literatura chicana y latinoamericana. Velásquez es la autora de dos colecciones de poesía, *I Used to Be a Superwoman* (1994) y *Xicana on the Run* (2005). Es la creadora de la serie popular de Roosevelt High School: *Juanita Fights the School Board* (1994), *Maya's Divided World* (1995), *Tommy Stands Alone* (1995), *Rina's Family Secret* (1998), *Ankiza* (2000), *Teen Angel* (2003) y *Tyrone's Journey* (2005). *Ankiza* apareció recientemente en una nueva edición francesa bajo el título, *J'aime qui je veux* (Pocket Jeunesse, 2003). La poesía y ficción de Velásquez ha sido publicada en revistas y antologías a través de los E.E.U.U. tanto como en Europa.

Gloria Velásquez ha recibido numerosos premios por sus escritos y sus logros. Fue premiada durante el mes de la Herencia Hispana por KTLA, canal 5 en Los Angeles. Velásquez fue incluida en *Who's Who Among Hispanic Americans* y *Something About the Author*. En el año 2001, la Cámara de Representantes de Tejas, le brindó homenaje a Velásquez por sus logros sobresalientes en la literatura. En 2004, Velásquez fue mencionada en *100 History making Ethnic Women* por Sherry York (Linsworth Publishing). La antologiá de escritores, *Latina and Latino Voices in Literature for Teenagers and Children*, publicada en 2004, dedica un capítulo entero a la vida de Velásquez y su desarrollo como escritora. Velásquez fue la primera chicana incluida en la Sala de Honores de la Universidad del Norte de Colorado en 1989. La Universidad de Stanford recientemente honró a Velásquez con "The Gloria Velásquez Papers," donde se archiva su vida como escritora y humanitaria.

Gloria Velásquez es profesora en el Departamento de Lenguas y Literaturas Modernas en la Universidad Estatal Politécnica de California en San Luis Obispo. Velásquez continúa haciendo presentaciones por los Estados Unidos, compartiendo sus canciones y poesía de su discocompacto, *Superwoman Chicana*, además de inspirar a adolescentes con su serie de Roosevelt High School para los adolescentes.

ABOUT THE AUTHOR

Gloria L. Velásquez is an internationally acclaimed author who holds a Ph.D. from Stanford University in Latin American and Chicano Literatures. Velásquez is the author of two collections of poetry, *I Used to Be a Superwoman* (1994) and *Xicana on the Run* (2005). She is creator of the popular Roosevelt High School Series: *Juanita Fights the School Board* (1994), *Maya's Divided World* (1995), *Tommy Stands Alone* (1995), *Rina's Family Secret* (1998), *Ankiza* (2000), *Teen Angel* (2003), and *Tyrone's Journey* (2005). *Ankiza* was recently released in a brand new French edition entitled, *J'aime qui je veux* (Pocket Jeunesse 2003). Velásquez's poetry and fiction have appeared in journals and anthologies throughout the U.S. as well as in Europe.

Gloria Velásquez has received numerous honors for her writings and achievements. She was featured for Hispanic Heritage Month on KTLA, Channel 5, Los Angeles. Velásquez was selected for inclusion in *Who's Who Among Hispanic Americans* and *Something About the Author.* In 2001, Velásquez was honored by the Texas House of Representative for her outstanding contribution to literature. In 2004, Velásquez was featured in *100 History making Ethic Women* by Sherry York (Linsworth Publishing). The 2004 anthology, *Latina and Latino Voices in Literature for Teenagers and Children,* devotes a chapter to Velásquez's life and development as a writer. Velásquez became the first Chicana to be inducted into the University of Northern Colorado's Hall of Fame in 1989. Stanford University recently honored Velásquez with "The Gloria Velásquez Papers," archiving her life as a writer and humanitarian.

Gloria Velásquez is a Professor in the Modern Languages and Literatures Department at California Polytechnic State University in San Luis Obispo, California. Velásquez is currently touring throughout the United States performing songs and poetry from her *Superwoman Chicana* CD as well as mentoring youth with her Roosevelt High Series of young adult books.

AGRADECIMIENTOS

Este poemario representa el legado que les dejo a mis hijos, a mis nietos y a sus hijos también. En este libro, ellos encontrarán las palabras que brotan de mi alma poética, mis deseos vitálicos de mejorar la sociedad, de dejar mi huella como escritora, como madre y como humanitaria. Sobre todo, es mi deseo más sincero que mis hijos y mis lectores aprecien para siempre tanto mis poemas como las bellas fotografías que están incluidas en esta colección. Con estas fotografías y poemas, he inmortalizado las vidas humildes de mi mamá, papá y del Fini cuya grandeza y legado deseo compartir con el mundo.

Me gustaría darles las gracias a muchas personas que hicieron posible la publicación de este libro de poesía. Un agradecimiento especial para mi hija, Brandi Lynn, por la maravillosa y bella portada de *Xicana on the Run*; mi amor más profundo junto con mi gratitud a Jack Mudry, el coordinador de las traducciones hechas por sus talentosos amigos, Luis y Caitlin; con mucho amor, respeto y una gran admiración a mi compadre artista, José Montoya, por la impresionante introducción; un montón de abrazos para David Fernández (Videz), mi camarada artista de Nogales, por su hermosa pintura de La Gloria Post-Moderna y un agradecimiento muy especial a John Thompson y a William Martínez por su ayuda con el arte fotográfico y con algunas traducciones. Además, me gustaría agradecerle a un amigo querido, Charley Trujillo, por haber creído en este proyecto y en todos los artistas del Renacimiento Artístico Xicano cuyas voces permanecen como una parte importante de la historia de Aztlán.

Algunos de los poemas en esta colección se publicaron originalmente como sigue:

"Coming into Nogalees," apareció en *Nahual*; "Mis mejores amantes," publicado en *The California Quarterly*; "Son in Vietnam," "Lessons of Vietnam," y "The American West," aparecieron en el discocompacto titulado, *Superwoman Chicana*.

ACKNOWLEDGMENTS

This book represents the legacy I leave behind for my children, my grandchildren and their children as well. In this book, they will find the words of my poetic soul, my lifetime desire to make this a better world, to leave "my mark" as a writer, as a mother, and as a humanitarian. Above all, it is my sincere hope that my children and my readers will forever cherish my poetry as well as the beautiful photographs included in this book. In these photographs and poems, I have immortalized the humble lives of Mom, Dad and Fini, whose greatness and legacy I wish to share with the world.

There are many people I would like to thank for making this book possible. A special thank you to my daughter, Brandi Lynn, for the beautiful cover art; my deepest love and gratitude to Jack Mudry for coordinating the poetry translations that were made possible by his talented friends, Luis y Caitlin; much love, admiration and the greatest respect to my compadre artista, José Montoya, for his impressive introduction; un montón de abrazos for my Nogales camarada, David Fernández, for his spectacular Videz portrait of Post Modernist Gloria and a special thank you to John Thompson and William Martínez for their help with the photo artwork and some of the translations. I would also like to thank my dear friend, Charley Trujillo, for believing in this project and in all the Xicano and Xicana Renaissance artistas whose voices remain an important part of our history in Aztlán.

Some of the poems in this collection were originally published in the following: "Coming into Nogalees," was published in *Nahual*; "Mis mejores amantes," was published in *The California Quarterly*; "Son in Vietnam," "Lessons of Vietnam," and "The American West," appeared in the *Superwoman Chicana* CD.

ABOUT THE COVER ARTIST

Brandi Lynn Treviño is a Xicana artist/educator from Colorado who graduated with a BA in Hispanic Studies with an emphasis in Mexican-American Studies from the University of Northern Colorado in Greeley. She is currently a teacher at Milliken Middle School in Milliken, CO, where she teaches Spanish. She has received awards and special recognition for her artwork which most recently appeared in *I Used to Be a Superwoman*. She is the author's daughter.

About the Translators

Jack Mudry received his BA in Spanish and Political Science in 1972 from North Central College and has completed Master's level work at the University of Colorado in Denver. He is a federally certified court interpreter who resides in Denver, Colorado. He teaches classes in Spanish throughout the state about life and the law in Colorado for Spanish-speaking immigrants. He also hosts a weekly program of Latin American music on Sunday mornings on KUVO, 89.3

Caitlin Hedberg, who studied at the University of Salamanca in Spain and the University of Colorado at Denver, has taught in the Costa Rican public school system and has spent time doing volunteer work in Mexico. She received a broad education in Psychology and Political Science at the University of Colorado at Denver. She has conducted research on the status of women in Latin America and has led translations for academic research on Hispanic immigrant acculturation. She is also a certified ESL teacher.

Luis Espinosa Organista studied Political Science and Communication at the University of Colorado at Denver. He earned a technical degree at the National Autonomous University of Mexico. He has worked in Mexico's National Institute of Cardiology at the University of Colorado Health Sciences' Center and at the Denver Justice and Peace Committee. He has been a contract translator and interpreter for the Colorado Anti-Violence Program.

Xicana

on the Run

This photograph was taken in Denver City, Texas, where we moved for a few months after picking potatoes in Alamosa, Colorado. Dad and Uncle Arthur (his entire family always traveled with us) worked construction for a few months and Mom worked as a Nurse's aid. The doll was given to me by Mary Betz, the Johnstown farmer's wife who was very kind to Mom and Dad all the years we lived on their farm.

• • •

Esta foto se tomó en Denver City, Texas, a donde nos mudamos por unos cuantos meses después de recoger papas en Alamosa, Colorado. Papá y Tío Arturo (su familia entera siempre viajaba con nosotros) trabajaron en la construcción por algunos meses y Mamá trabajó de ayudante de enfermera. La muñeca me fue dada por Mary Betz, la esposa del granjero de Johnstown quien era muy amable con Mamá y Papá todos los años que vivimos en su granja.

MENTE PELIGROSA

Soy la más iletrada
de los letrados,
la poeta del barrio,
que nunca leyó Dylan Thomas
ni Blake
pero he leído acerca de El Louie
de cómo vivió y murió
de lo que simbolizó para nuestra gente.

Soy la más iletrada
de los letrados
que nunca leyó Yeats
ni T. S. Elliot
pero he respirado la magia
de Ultima
y bailado con la Serpiente Incansable
de Bernice.

Soy la loca del barrio
de J-town,
la que huyó
la que a nadie le importó
o ni siquiera se molestaron en tratar de entender
La Xicana Hippie que se volvió mala
menospreciada por dejar su pueblito
amantes abusivos
días abusivos de vino y rosas,
la poeta loca del barrio
la más iletrada
de los letrados
corriendo libre al fin.

Dangerous Mind

I am the most illiterate
of the literate,
la poeta del barrio,
never read Dylan Thomas
nor Blake
but I've read about El Louie
how he lived and died
what he symbolized for our gente.

I am the most illiterate
of the literate,
never read Yeats
nor T.S. Eliott
but I've breathed the magic
of Ultima
and danced with Bernice's   Bernice M,?
Restless Serpents.

I am la loca del barrio   Didn't follow the norms.
de J-town,   Es independiente. Es única
the one who ran away
the one who no one cared about
or even bothered trying to understand
La Xicana Hippie turned bad
scorned for leaving her pueblito
abusive lovers
abusive days of wine and roses,
la poeta loca del barrio
the most illiterate
of the literate
running free at last.

LECCIONES DE VIETNAM

Saigón cayó hoy
20 años pasaron
Lecciones de Vietnam
aprendidas
desaprendidas
28,000 Americanos muertos
que L.A. Times reportó
citando las memorias de McNamara
como si me importara
como sí a las familias de todos esos
lisiados y perdidos
todavía perdidos en acción
les importaran todas las razones dadas
o no dadas.

Saigón cayó hoy
20 años pasaron
Lecciones de Vietnam
justificadas
injustificadas
28,000 muertos
que el L.A. Times reportó
citando a Pham Xuan An
enfermizo espía del Viet Cong de 67 años
diciendo que no tiene arrepentimientos.
"No arrepentimientos," me digo a mí misma
recordando el ataúd cerrado de mi hermano
90% de su cuerpo quemado
una familia desfigurada por vida
como muchas otras,
hijos perdidos
hermanos perdidos
padres perdidos
amantes perdidos
amigos perdidos
TODOS MUERTOS AHORA
mientras conmemoramos
otro día en la historia.

*This is one of the many
pictures Fini sent us from
Vietnam right before he was
killed in 1968. In this
picture, Uncle Louie is
standing next to one of Fini's
friends and on his knees in
the front, is Gordon
Woodcock, who became Fini's
best friend at this camp.*

• • •

*Esta es una de muchas fotos
que Fini nos envió de
Vietnam justo antes de morir
en 1968. En esta foto, Tío
Louie posa junto a uno de los
amigos de Fini y de rodillas al
frente esta Gordon Woodcock,
quien se convirtió en el mejor
amigo de Fini en este
campamento.*

LESSONS OF VIETNAM

Saigon fell today
20 years passed
Lessons of Vietnam
learned
unlearned
28,000 Americans dead
the L.A. Times reported
quoting McNamara's memoirs
as if I cared
as if my mother cared
as if the families of all those
maimed and lost
still missing in action
care about all the reasons
given
or not given.

Saigon fell today
20 years passed
Lessons of Vietnam
justified
unjustified
28,000 dead

the L.A. Times reported
quoting Pham Xuan An
ailing 67 year old spy for the
Viet Cong
saying he has no regrets.
"No regrets," I say to myself
recalling my brother's
closed casket
90% of his body burned
a family disfigured for life
like so many others,
lost sons
lost brothers
lost fathers
lost lovers
lost friends
ALL GONE NOW
as we commemorate
another day in history.

This picture was taken on Fini's leave in 1967 or 68 right before he left to Vietnam. We were still living in the house I refer to as the "Green Boxcar" in my short fiction.

• • •

Esta foto fue tomada el día que Fini partió en 1967 o 68 justo antes de salir a Vietnam. Todavía vivíamos en la casa a la que llamo "Green Boxcar" en uno de mis cuentos.

HIJO EN VIETNAM

El sol se pone en una casa solitaria,
la tristeza llena el aire ahora
porque un ser amado se ha ido lejos a la guerra
y a él le canto esta canción.

Él es un hijo en Vietnam
peleando por los EEUU
Tiene sólo dieciocho, Señor,
Es sólo un muchacho
Dios mío, por favor cuida a Johnny.

SON IN VIETNAM

The sun goes down on a lonely house,
sadness now fills the air
for a loved one has gone far away to war
and to him I sing this song.

He's a son in Vietnam
fighting for the U.S.A.
He's only eighteen, Lord,
He's just a young boy
Dear God, please take care of Johnny.

Papa just sits there
a tear in his eye
his mind is miles away
but he's glad that son can't see those tears
for a man's not supposed to cry.

He's a son in Vietnam
fighting for the U.S.A.
He's only eighteen, Lord,
He's just a young boy
Dear God, please take care of Johnny.

Mama is lonely
She can't sleep at night.
She wanders from room to room.
She remembers the young child that she once bore
How she yearns to hold him again.

He's a son in Vietnam
fighting for the U.S.A.
He's only eighteen, Lord,
He's just a young boy,
Dear God, please take care of Johnny.

*Of youth gang to war
Family sadness &
tragedy*

Papá sólo está sentado
una lágrima en sus ojos
su mente está a millas de distancia
pero feliz que el hijo no puede ver esas lágrimas
porque un hombre no debe llorar.

Él es un hijo en Vietnam
peleando por los EEUU
Tiene sólo dieciocho, Señor,
Es sólo un muchacho
Dios mío, por favor cuida a Johnny.

Mamá está sola
Sin poder dormir las noches.
Vagando de cuarto a cuarto.
Recuerda al pequeño que una vez parió
Como anhela abrazarlo otra vez.

El es un hijo en Vietnam
peleando por los EEUU
Tiene sólo dieciocho, Señor,
Es sólo un muchacho
Dios mío, por favor cuida a Johnny.

Ahora mi canción tristemente debe terminar,
un final con que nunca soñé,
recibimos un telegrama el otro día,
nuestro Johnny,
él murió en la guerra.

Él era un hijo en Vietnam
peleando por los EEUU
Acababa de cumplir los diecinueve, Señor,
Era sólo un muchacho,
Dios mío, por favor cuida a Johnny.

La canción fue comenzada en 1967 y completada
después de la muerte del Fini el 6 de mayo de 1968.

Now my song must sadly end,
an ending I never dreamt of,
we received a telegram the other day,
our Johnny,
he died at war.

He was a son in Vietnam
fighting for the U.S.A.
He had just turned nineteen, Lord,
He was just a young boy,
Dear God, please take care of Johnny.

Song started in 1967 and completed
upon Fini's death on May 6, 1968.

HOMENAJE A FRANCISCA
para mamá

Nacida en un barrio mexicano
ese día 11 de abril, 1929,
en Pico Park, California,
el año de la Gran Depresión
cuando Apá era sólo otro mojado de Juárez
cruzando el río del demonio buscando una vida mejor
para su joven esposa de Salamanca y sus hijos.
Francisca pasó su niñez mudándose de
un estado a otro, Tejas, Nuevo México,
la pizca de algodón, papas, y cebolla
hasta asentarse en una casa pequeña de adobe
construida por el Great Western para los trabajadores del betabel,
la Colonia Mexicana en Johnstown, Colorado,
donde la adolescente Francisca se enamoraría
en el campo con el guapo e indomable Juanito
viéndolo en secreto por las noches cerca del cementerio,
amándose en medio de la vida de pobreza,
escapando de casa con él un día a la de Dalin,
a pesar de la ira de su padre y las lágrimas de su madre,
los años duros por venir,
tantos años duros para Francisca Molinar quien
crió dos hijos mientras trabajaba en el campo,
la responsabilidad que le impidió seguir
su propio sueño de ser enfermera,
atada a un marido cuyo dolor crecía insoportable.
Sin empleos para Mexicanos inteligentes como su Juan
que se emborrachó hasta una muerte temprana
soñando en una mejor vida para su familia.

Mamá Tonantzín,
lo aguantó todo hasta el día en que su único hijo
regresó un héroe de Vietnam en un ataúd sellado,
muerto a los diecinueve.
Fue entonces cuando ella también se sepultó,
Francisca, la orgullosa mujer guerrera Xicana
quien rehusó recibir cupones de despensa o asistencia social,

HOMENAJE A FRANCISCA
for mom

Born en un barrio mexicano
that 11th day of April, 1929,
in Pico Park, California,
the year of the Great Depression
when Apá was just another mojado de Juárez
crossing the demon river in search of a better life
for his young Salamanca bride and their children.
Francisca spent her childhood moving from
one state to another, Tejas, Nuevo México,
la pizca de algodón, papas, y cebolla
until they settled in a small adobe house
built by Great Western for the sugar beet workers,
the Mexican Colony in Johnstown, Colorado,
where a teenage Francisca would fall in love
in the fields with the wild handsome Juanito,
secretly meeting him at night by the cemetery,
loving each other amidst the poverty life,
running away with him one day to Dalin's
despite her father's wrath and mother's tears,
the hard years that were still to come,
puros hard times for Francisca Molinar who
bore two children while working in the fields,
the responsibility that kept her from following
her own dream of becoming a nurse,
tied to a husband whose hurt grew unbearable.
No jobs for smart Mexicans like her Juan
who drank himself to an early death
dreaming of a better life for his familia.

Tonantzín mamá,   Diosa Pre-Colombino Azteca
she bore it all until the day her only son
came back a hero from Vietnam in a sealed coffin,
dead at the age of nineteen.
It was then that she too buried herself,
Francisca, the proud Xicana woman warrior
who refused to get food stamps or welfare,

quien rehusó trabajar para un doctor racista
Francisca, cuya memoria ahora le deja,
Mamá Tonantzín,
quien me enseñó a hacer lo bueno y no lo malo
que la justicia e igualdad se deben vivir,
esta mujer cuya cara llevo
cuya voz habló
cuyo espíritu poseo,
mi mayor regalo en la vida,
Mamá.

This is a rare photograph (right) since it is the only one taken on my birthday as a little girl. Mom always loved to dress up despite the poverty we lived; here she looks like a model from <u>Look Magazine</u>.

• • •

Esta es una foto excepcional puesto que es la única tomada en mi cumpleaños de niña. A Mamá le encantaba vestirse elegante a pesar de la pobreza en que vivimos. Aquí ella parece modelo de la revista Look.

who refused to work for a racist doctor.
Francisca, whose memory leaves her now,
Tonantzín mamá,
who taught me right from wrong
that justice and equality must be lived,
this woman whose face I wear
whose voice I speak
whose spirit I possess,
my greatest gift in life,
Mamá.

↑ su modelo y es sagrada

MI BARRIO

Imágenes de mi barrio mientras reposo en la cama
soñando con la colonia mexicana
escondida en las afueras de Johnstown,
el parque en la desolada Colonia donde jugaba
a patear la lata mientras la Llorona gritaba,
el olor de las tortillas hechas a mano por Amá,
Apá sentado en la mesa de la cocina escogiendo los frijoles,
La voz retumbante de tío Arturo cuando irrumpía
por la puerta buscando un taco,
la oficina de correo al final de la calle Main,
donde esperaba las cartas de Vietnam,
Hay's Market donde me moría de vergüenza con Mamá,
cada vez que nos llamaban "Mexicans,"
el billar de Johnstown a donde iba Papá
con tío Arturo y sus compadres,
la oficina del doctor del pueblo donde trabajaba Mamá
como su enfermera hasta el día que la hizo renunciar.
Parish Park en esos días cálidos de verano,
corriendo descalza entre los rociadores,
o besuqueándose en los carros estacionados de adolescente,
con los guapos vatos de Milliken,
el conocido edificio de ladrillo rojo de mis
días pasados en la escuela Roosevelt High School
donde Priscilla Trujillo y yo reinábamos
como campeonas de ping-pong del barrio.

Imágenes de mi barrio en la tierra colorada,
mi campo adorado donde una vez jugué
en la milpa y zanjas lodosas,
criada por los hermanos y hermanas de Mamá,
tía Hope,
la devota hija quien cuidó de Amá
hasta el día en que murió en la Colonia,
tía Lola con sus pies adoloridos de años
de trapear pisos en el Loveland Hospital,
tío Jesse, el orgulloso barrio héroe de la fuerza aérea
quien sirvió a su país en la Segunda Guerra Mundial,

MI BARRIO

Images of my barrio as I lay in bed
dreaming of the Mexican colonia
hidden on the outskirts of Johnstown,
the barren Colony park where I played
kick the can while the Llorona howled,
the smell of Amá's homemade tortillas,
Apá seated at the kitchen table sorting beans,
Uncle Arthur's booming voice as he burst
through the door in search of a taco,
the U.S. post office on the end of Main street,
where I waited for the letters from Vietnam,
Hay's Market where I'd cringe with Mom,
each time they called us "Mexicans,"
the Johnstown pool hall where Dad hung out
with Uncle Arthur and his compadres,
the town doctor's office where Mom worked
as his nurse until the day he forced her to quit.
Parish Park on those hot summer days,
running barefoot through the sprinklers,
or necking in parked cars as a teenager
with the handsome Milliken vatos,
the familiar red brick building of my
Roosevelt High schools days gone by
where Priscilla Trujillo and I reigned
as ping-pong champions of the barrio.

Images of my barrio en la tierra colorada,
mi campo adorado where I once played
in fields of corn and muddy ditches,
nurtured by Mom's brothers and sisters,
Aunt Hope,
the devoted daughter who took care of Amá
until the day she died in the Colony,
Aunt Lola with her aching feet from years
of mopping floors at the Loveland Hospital,
Uncle Jesse, the proud barrio airforce hero
who served his country in World War II,

tía Alicia,
la más joven de las cinco hermanas Molinar
quien enfureció a Amá el día que huyó de la casa,
dejando atrás un matrimonio vacio,
tía Dora, la infame Pachuca tatuada
quien sería después mi segunda madre.

Estas caras de mi pasado en el barrio,
grabadas en mi alma Diné Xicana,
mientras vivo mi vida solitaria en San Luis Obispo,
añorando el pueblito de mi juventud.

This photograph (right) was taken at the Johnstown Cemetery; there are many family members, as well as friends in this photo, such as my cousin, Luis Holguin, the blond-haired baby standing to the right of the U.S. Marine. Seated in the front row are Dad, Mom, and me (my face is completely covered by the veil) and Fini's fiancee, Sylvia, who was from Juárez. In the row directly behind us are Apá (Saúl Molinar) and Amá (María Pérez Molinar), whose face is also completely covered by her veil. Standing directly behind Apá, is Aunt Dora with her funky glasses and a very young Bernie and Stevie.

• • •

Esta foto fue tomada en el cementerio Johnstown; hay varios miembros de la familia, así como amigos en esta foto, tales como mi primo, Luis Holguin, el bebé rubio parado a la derecha del Marine de los EE.UU. Sentados en la primera fila están Papá, Mamá, y yo (mi cara está completamente cubierto por el velo) y la prometida de Fini,, Sylvia, quien era de Juárez. En la fila directamente atrás de nosotros están Apá (Saúl Molinar) y Amá (María Pérez Molinar), cuya cara está también completamente cubierta por su velo. Parado directamente atrás de Apá, está tía Dora con sus lentes originales y un Bernie y Stevie muy jóvenes.

Aunt Alicia,
the youngest of the five Molinar sisters
who angered Amá the day she fled home,
leaving behind an empty marriage,
Aunt Dora, the infamous tatooed Pachuca
who would later became my second Mom.

These faces of my barrio past,
etched in my Diné Xicana soul,
as I live my solitary life in San Luis Obispo,
yearning for the pueblito of my youth.

PAPÁ

Amazing Grace cantaron
el día que llevamos tu ataúd
a la pequeña iglesia de Johnstown
mientras Mamá lloraba y yo pensaba
en mi hermano Fini en Vietnam.
Ahora esta mañana esperando
en la línea del almacén,
miro a la cara agotada
del hombre sin hogar delante de mí
contando sus monedas para pagar
una botella de vino barato.
Mis ojos Diné se llenan de lágrimas
viendo al viejo buscar
entre sus bolsillos rotos
el cambio mientras el cajero dice
que no tiene suficiente.
Es entonces que pienso en ti, Papá,
todos esos días borrachos de Colorado
six-packs de cerveza escondidos en el closet,
Mamá suplicando que registre su coche,
"Yo sé que la tiene en el garaje."

Por eso le doy al cajero un dólar,
el viejo mira a mi cara.
Yo reconozco los ojos vidriosos,
las delgadas venas rojas,
la cara de mi padre.
"Gracias, señora," musita.
Entonces—se va agarrando fuerte
su paquete mientras lucho con mí misma,
con todas esas malditas memorias que
me persiguen dondequiera que voy.

DAD

Amazing Grace they sang
the day we wheeled your casket
into the small Johnstown church
while Mom wept and I thought
of my Vietnam brother Fini.
Now this morning standing
in line at the grocery store,
I stare at the worn-out face
of the homeless man ahead of me
counting out his change to pay
for a cheap bottle of wine.
My Diné eyes fill with tears
watching the old man search
through his torn pockets
for change as the checker tells
him he doesn't have enough.
It's then that I think of you, Dad,
all those drunken Colorado days
six-packs of beer hidden in the closet,
Mom pleading that I search his car,
"I know he has it in the garage."
And so I hand the checker a dollar,
the old man looks into my face.
I recognize the glazed eyes,
thin red veins,
my father's face.
"Thank you, 'Mam," he whispers.
Then he's gone holding on tightly
to his package as I struggle with myself,
with all those damned memories that
haunt me wherever I go.

*This was taken in Colorado
and Mom could not remember
her comadre, Clara's last name.*

• • •

*Esta fue tomada en Colorado y
Mamá no pudo recordar el
apellido de su comadre, Clara.*

LUPITA

La llamaban La Pita,
la nombraron por la Virgen y la tía Lupe.
Era mi cuata de la vida de aquellas
del Barrio de J-town en el norte de Colorado.
Y el día que mi prima es enterrada
Yo recuerdo esos días hipíes de Xicana,
parando en caminos rurales solitarios
con Cowboy y sus perros,
su pelo largo y oscuro brillando
y su cara de Cher bien pisteada,
peleando con el Cowboy en el asiento trasero,
las noches que fuimos como locas a Juárez,
andando en cantinas como El Noa Noa
escuchando a los Beatles y "Volver, Volver, Volver..."
nuestros días salvajes en el Roosevelt High School,
los gargajos que escupías todo el camino a la casa
mientras te peleabas con el Panzas,
alias el Robert Maestas,
la única Chicana que se atrevía a enfrentarlo,
las fiestas de toda la noche en la casa de Doña Pilar en Milliken,
el pequeño Mikey, un bebé a tu lado,
nuestro perro hippie, Black Sabbath,
estroboscopias e incienso,
la puerta que pinté de negro.
pensábamos que éramos muy cool,
tú y yo,
La Pita y La Poya.

Tú fuiste mi cuata, Pita,
la loca escarlata quien nos hizo reír
la noche que se desmayó manejando
frente al ayuntamiento de Johnstown,
te llevaron a la Pinta esa noche.
Y el chisme en la Colonia la vez
que te fuiste con un vato más grande o
la pelea que tuvimos cuando descubrí
que estabas echándote a mi novio

LUPITA

They called her la Pita,
named after the Virgen y Aunt Lupe.
She was my scarlet homegirl de aquellas
del Barrio de J-town en el norte de Colorado.
And on the day my prima is buried
I remember those Xicana hippie days,
pulling over on barren country roads
with Cowboy and his dogs,
her long dark hair glistening
y su Cher face bien pisteada,
arguing in the backseat con el Cowboy,
the nights we took off like locas to Juárez,
hanging out in El Noa Noa cantinas
listening to the Beatles y "Volver, Volver, Volver..."
our wild Roosevelt High School days,
the gargajos you'd spit all the way home
as you duked it out con el Panzas,
alias Robert Maestas,
the only Xicana who dared to take him on,
the all night parties at Doña Pilar's in Milliken,
little Mikey, a baby at your side,
our hippie dog, Black Sabbath,
strobe lights and incense,
the door I painted black.
We thought we were so cool,
you and I,
La Pita y La Poya.

You were my homegirl, Pita,
the scarlet loca who made us laugh
the night she passed out driving
in front of the Johnstown City Hall,
te llevaron a la Pinta that night.
Y el chisme en la Colonia the time
you ran off with an older vato or
the fight we had when I found out
you were making it with my boyfriend

después que me dejaba en la casa,
pero mi coraje adolescente no duraba,
después de todo, era sólo un pinche vato
mientras tú y yo éramos carnalas,
criadas en la mera pobreza,
recogiendo papas en Denver City,
labrando betabeles en Colorado,
unidas incluso antes de nacer
por los $50 que Mamá había ahorrado
para mi nacimiento en diciembre,
que luego le dio al tío Arturo
un mes antes en noviembre
para pagar el nacimiento de su primera hija.

Pasaron los años y te casaste,
tuviste algunos hijos más,
y cuando te vi años después
en la boda de Mikey en Greeley,
todavía estabas en la juerga,
la misma cara de Cher envejecida
el mismo pelo largo y oscuro.
Nos reímos de los viejos tiempos,
Yéndonos de pinta detrás del maizal,
curioseando las revistas cochinas de Papá,
las fiestas de medianoche en Wildcat,
tragando dulces en Ed's Market
en nuestro camino al catecismo en la Colonia
donde volvíamos locas a las monjas.
Las lágrimas que compartimos el día que hicimos guardia
junto al ataúd cerrado con la familia
mientras tocaban Taps en el pequeño cementerio
donde ahora descansas con Papá y Fini,
al lado de tío Arturo, tía Lupe y Mikey.

Simón, la llamaban La Pita,
carnala de aquellas del barrio de J-town
en el norte de Colorado.

after he dropped me off at home,
but my teenage coraje didn't last,
after all, he was only a pinche vato
while you and I were carnalas,
raised en la mera pobreza,
picking potatoes in Denver City,
hoeing sugarbeets in Colorado,
united even before we were born
by the $50 Mom had saved
for my delivery in December,
then gave to Uncle Arthur
a month earlier in November
to pay for his first daughter's birth.

The years passed and you married,
had some more kids,
and when I saw you years later
at Mikey's wedding in Greeley,
you were still boozing it up,
the same aged Cher-like face
the same long dark hair.
We laughed about the old times,
ditching school behind the cornfields,
checking out Dad's dirty magazines,
the midnight parties at Wildcat,
stuffing ourselves with candy at Ed's Market
on our way to catechism in the Colonia
where we drove the Nun's mad.
The tears we shared the day we stood
next to the closed coffin with the familia
while they played Taps in the small cemetery
where you now lie with Dad and Fini,
next to Uncle Arthur, Aunt Lupe and Mikey.

Simón, they called her La Pita,
carnala de aquellas del barrio de J-town
en el norte de Colorado.

JOSÉ MARTÍ Y YO
para Rocío Alvear

Ya es hora de empezar a morir,
dijo Martí.
Morir porque no soy aquella que ellos esperan.
Morir porque estoy ante hombres necios
que acusáis a esta mujer del barrio
por no ser verdadera intelectual como ellos,
productos de tantas fábricas académicas.

Ya es hora de empezar a morir,
dijo Martí.
Morir porque no uso palabras eruditas como ellos.
Morir porque anhelo tanto a mi pueblito
tan lleno de gente sincera y humilde,
no pedante y superficial como los hombres necios
que me criticáis y despreciáis día tras día,
haciéndome regresar de la universidad
empapada de lágrimas y con deseos de revivir
mis días de campesina, aquella vida noble
donde la gente no era deshonesta como
los que me rodean en este mundo académico
donde siento marchitarme sin la luz del sol
mis alas ya cortadas como las de mi tata
navajo en aquella maldita casa de reposo.

Vida, ¿por qué me has engañado?

Brother and sister look so happy and carefree despite the poverty. Mom said this photo was taken in Texas, but Aunt Hope said it was in Arizona.

• • •

Hermano y hermana lucen muy felices y despre-ocupados a pesar de la pobreza. Mamá dijo que esta foto fue tomada en Texas, pero tía Hope dijo que en Arizona.

José Martí y yo
para Rocío Alvear

It is time to start dying,
Martí said.
To die because I'm not the one everyone expects me to be.
To die because I'm surrounded by misguided men who accuse
this barrio woman
of not being an intellectual as they claim to have become,
products of so many academic factories.

It is time to start dying,
Martí said.
To die because I don't speak with erudite words as they do.
To die because I yearn for the people of my pueblo,
so humble and sincere,
not pedantic and superficial like the misguided men
who criticize and reject me day after day,
forcing me to leave the university soaked in tears
and the desire to relive my campesina days,
that noble life where people weren't dishonest
like those around me in this academic world where
I feel myself shriveling without sunlight
my wings cut like those of my Navajo tata
in that infernal rest home.

Vida, why have you deceived me?

*The Velásquez tomb: these
are the three spaces at the
Johnstown cemetery that
Mom and Dad purchased
when Fini died in 1968. We
buried Dad there upon his
death in 1992.*

● ● ●

*La tumbra de los Velásquez:
estos son los tres espacios en
el cementerio de Johnstown
que compraron Mamá y
Papá los cuando se murió
Fini en 1968. Enterramos
ahí a Papá cuando murió
en 1992.*

AUTORRETRATO: MAYO, 1995

Sola.
¿Moriré sola?
lejos de Johnstown
sin historia
sin familia
como Jim Morrison.
Sola.
Sin cementerio lleno de
tíos
primos
abuelitos enterrados cerca
en el pueblo que todos ellos
amaron.
Sin nadie que venga en
Memorial Day
a poner flores en mi tumba
junto a la de Fini y la tía Lupe.
Sin nadie que venga con
sus hijos

y murmure
"Aquí es donde tu tía está
enterrada."

Sola.
Solita.
Sin historia.
Sin pueblo natal.
Sin pueblito que lamente
mi muerte.
Sólo momentos fugaces
de fama,
libros vacíos dejados atrás
que quizá nadie leerá
o siquiera importará.

Sola.
¿Moriré sola?

SELF-PORTRAIT: MAY, 1995

Sola.
Will I die sola?
lejos from Johnstown
with no history
no family
like Jim Morrison.
Sola.
No cemetery filled with
tíos
primos
abuelitos buried nearby
in the town they all loved.
No one to come by on Memorial Day,
place flowers at my gravestone
next to Fini's and Aunt Lupe's.
No one to come by with their children
and whisper
"This is where your tía is buried."

Sola.
Solita.
No history.
No hometown.
No pueblito to mourn my death.
Only fleeting moments of fame,
empty books left behind
that perhaps no one will read
or even care about.

Sola.
Will I die sola?

| GLORIA L. VELÁSQUEZ

EL OESTE AMERICANO

Indios borrachos
en las alcantarillas de la Reservación
almas perdidas
como mi propio padre
sin importarles la vida
o la muerte
el barro rojo de la tierra
tragándoles
como dioses intrépidos y enojados
mientras Erik Bitsui derrama
lágrimas solitarias Diné
mirando turistas
llenando los Establecimientos
en busca de lo barato
joyería de plata
hecha a mano por los Indios
en la reservación
Indios muertos
Indios invisibles
Indios de Hollywood
Plásticos
Desechables
Indios
Hechos en los EEUU.

THE AMERICAN WEST

Drunken Indians
on Reservation gutters
lost souls
like my own father
not caring about life
or death
the red clay earth
swallowing them
like fearless angry Gods
while Erik Bitsui sheds
lonely Diné tears
watching tourists
fill the Trading Posts
in search of expensive
silver jewelry
handmade by Indians
on the Reservation
Dead Indians
Invisible Indians
Hollywood Indians
Plastic
Disposible
Indians
Made in the U.S. A.

En la Rez
para Priscilla Aydelott, la Rez Queen

Resurrección Rez
ella está crucificada por el
tiempo,
ojos de barro rojo de la tierra
sangrando lágrimas en él
mercado de pulgas Tuba,
mujeres Diné orgullosas
en faldas de colores brillantes
con sus hijos del sol
de ojos cafés.
Los viejos sentados en las
mesas
los olores de familia,
maíz tostado
cordero sagrado
tamales Indios
pan frito cantando
a la Madre Tierra
mientras dos Indios
borrachos pelean a puños.
Reina de la Rez Priscilla
ella se lamenta conmigo
mientras saco fuerzas de
mi abuelo Diné,
recordando a Papá,
otro borracho solitario.

Resurrección Rez
Ella le crucificó el tiempo,
que no consiguió empleo
sólo Secciones Tribales
BIA ido hace mucho
no más largas caminatas
sólo perros Kayenta de la rez
niños Diné sonriendo
ofreciendo sus mercancías
de puerta a puerta
esperando que el día sea mejor
en esta Resurrección Rez
Ella está crucificada por el
tiempo.

On the Rez
for Priscilla Aydelott, the Rez Queen

Resurrection Rez
she's crucified by time,
red-clay earth eyes
bleeding tears at the
Tuba Flea Market,
proud Diné women
in bright-colored skirts
with their brown-eyed
children of the sun.
Elders seated at tables
the smells of familia,
roasted corn
sacred mutton
Indian tamales
fry bread chanting
to Mother Earth
while two drunken
Indians fist fight.
Rez Queen Priscilla
she mourns with me
as I draw strength from
my Diné grandfather,
remembering Dad,
another lonely drunk.

Resurrection Rez
She's crucified by time
ain't got no jobs
only Tribal Chapters
BIA long gone
No more long walk
only Kayenta Rez Dogs
Diné children smilin'
peddling their wares
from door to door
hoping for a better day
on this Resurrection Rez
She's crucified by time.

ÁGUILA MUJER

Dame fuerza de águila mientras camino
en el valle de la sombra de la muerte.
Dame fuerza de águila mientras hablo
al Dios tendido en Bishop's Peak.
Dame fuerza de águila mientras maldigo
mi vida chicana y faustina.
Dame fuerza de águila mientras miro
la tormenta que se acerca y estoy sola en el mar.
Dame fuerza de águila mientras escudriño
al espejo roto.
Dame fuerza de águila mientras pruebo
la sangre de mi alma Diné.
Dame fuerza de águila mientras vivo
este día que nunca parece terminar.
Dame fuerza de águila mientras susurro
el nombre de Juan Kirk al Dios del viento.
Dame fuerza de águila mientras confronto
la ira dorada de mi amante.
Dame fuerza de águila mientras enfrento
cuentas sin pagar, y un hijo que criar sola.
Dame fuerza de águila mientras estoy bendita
por el espíritu del este.
Dame Ojos de Águila
Corazón de Águila
Garras de Águila
Espíritu de Águila
Yo de Águila.

AGUILA MUJER

Give me Eagle strength as I walk
in the valley of the shadow of death.
Give me Eagle strength as I speak
to the God lying on Bishop's Peak.
Give me Eagle strength as I curse
my Faustian Xicana life.
Give me Eagle strength as I watch
the storm rise and I'm alone at sea.
Give me Eagle strength as I peer
into the cracked mirror.
Give me Eagle strength as I taste
the blood of my Diné soul.
Give me Eagle strength as I live
this day that never seems to end.
Give me Eagle strength as I whisper
Juan Kirk's name to the God of wind.
Give me Eagle strength as I confront
my lover's wrath of gold.
Give me Eagle strength as I face
unpaid bills, a son to raise alone.
Give me Eagle strength as I'm
blessed
by the Spirit of the East.
Give me Eagle Eyes
Eagle Heart
Eagle Claws
Eagle spirit
Eagle yo.

*In this photo, Dalin (Louis Velásquez) looks
very Diné and very stoic. Nana's sister and
brother-in-law are directly behind her. They
were married in Wellington, Colorado.*

• • •

*En esta foto Dalin (Louis Velásquez) se ve
muy Diné y muy estoico. La hermana y
cuñado de Nana están directamente atrás de
ella. Se casaron en Wellington, Colorado.*

EDÚCATE

Edúcate, Raza.
Jovenes indígenas
Guerreros Diné de Aztlán.

Hey, carnal,
Yo no estoy lista para ser mamá
fumar mota o morir en las
pandillas en la Reserva.

Yo quiero alzar mis alas
volar alto sobre el cielo
Sacar un doctorado.
Educar a nuestros hijos
en los salones en la Reserva.

Edúcate, Raza.
Jovenes indígenas
Guerreros Chumash de
nuestra tierra.

Hey, carnalita,
Yo no quiero pasármela
embarazarme
o dejar la escuela.

Yo quiero ser,
escribir versos,
crear sueños,
ser lider como Gary Farmer.

Edúquense, hijos,
gritan nuestros antepasados
sus rostros cansados
su espíritu fuerte
grabado para siempre
en la historia de nuestra tierra.

Edúquense, jóvenes indígenas.
Adelante guerreros orgullosos.
El futuro los espera.

EDÚCATE

Edúcate, Raza
Young Native Americans
Diné warriors of Aztlán.

Hey, homeboy,
I'm not ready to have babies
smoke dope or die
from gang wars on the Rez.

I want to spread my wings,
soar high above the skies.
Get a Ph.D.
Teach our children in the
classrooms on the Rez.

Edúcate, Raza,
young Native Americans
Chumash warriors of the land.

Hey, homegirl,
I don't want to hang out
get pregnant
or be a drop out

I want to be somebody
write verses, create dreams
be a leader
like Gary Farmer.

Edúcate, Children
our ancestors cry out,
their faces tired
their spirits strong,
forever embedded
in the history of our land.

Edúcate, Native Americans.
Adelante proud warriors.
The future is yours.

REGRESANDO A CASA
para tía Dora

Desperté esta mañana
pensando en ti, Steve,
el niño rubio que una vez cuidé,
esos días de aficionado de billar de tu Papá
angustiadas noches de tu Mamá pachuca
mientras iba de bar en bar buscando
su guapo marido tiburón de billar
los días del reformatorio Morrison detrás de ella,
donde recuerdo ir a visitar
a tu salvaje indomable madre.

Desperté esta mañana
pensando en ti, Steve,
en el primo adolescente que adoré
durante mis días de Chicana rebelde en U.N.C.
todas las conversaciones que tuvimos mientras tú
te volviste un joven,
la noche que fuimos a bailar disco
en un club nocturno de Greeley
pensábamos que éramos muy cool
en nuestros trajes disco slick
y años después éramos incluso más slick
cuando viniste a visitar en San Francisco
vistiendo tu nueva chamarra de piel
un cosmopolita ahora
y yo una élite literaria de Estanford.

Desperté esta mañana
pensando en ti, Steve,
mientras yacías en aquella cama de hospital de Denver,
tubos de oxígeno en tu nariz
la realidad mirándonos a la cara,
el Festival de Pridefest detrás de nosotros,
las rosas rojas que Bob te dio
al lado de tu cama
tu sonrisa hermosa

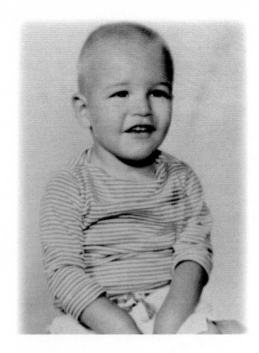

*This was taken when Stevie
(Steve Joseph Quintara) was
around two years of age.*

• • •

*Esta es una foto de Stevie
(Steve Joseph Quintara) a los
dos años de edad.*

GOING HOME
for Aunt Dora

I woke up this morning
thinking about you, Steve,
the blond haired boy I once babysat,
those pool shark days of your dad
anguished nights of your pachuca mom
as she went from bar to bar searching
for her handsome pool shark husband,
Morrison reform school days behind her,
where I remember going to visit
your wild untamed mother.

I woke up this morning
thinking about you, Steve,
about the teenage cousin I adored
during my rebel Chicana days at U.N.C.

a pesar de la medicina y las intravenosas
las canas en tu barba que tú
querías esconder,
"Iré a casa pronto,"
repetiste varias veces.

"Iré a casa con Bob."

Desperté esta mañana
pensando en ti, Steve,
odiándome por tener que regresar
a California y dejarte atrás
a enfrentar esa temida enfermedad
que está desgarrando el alma de tu madre
como Vietnam lo hizo a mi propia madre.

Steve,
mi joven guapo primo,
¿Cuándo te veré otra vez?

all the conversations we had as you
grew into a young man,
the night we went disco dancing
in a Greeley nightclub
we thought we were so cool then,
in our slick disco outfits
and years later we were even slicker
when you came to visit in San Francisco
wearing your new leather jacket
a cosmopolitan man now
and me the Stanford literary elite.

I woke up this morning
thinking about you, Steve,
as you lay in that Denver hospital bed,
oxygen tubes in your nose
reality staring us both in the face,
Pridefest behind us
the red roses Bob gave you
at your bedside
your beautiful smile
despite the medicine and IVs
the gray in your beard you
wanted to hide,
"Going home soon,"
you repeated several times.
"Going home to Bob."

I woke up this morning
thinking about you, Steve,
hating myself for having to go back
to California and leave you behind
to face that dreaded disease
that is tearing your mother's soul apart
like Vietnam did to my own mother.

Steve,
my handsome young primo,
When will I see you again?

STEVIE
para tía Dora

Él era nuestro niño dorado,
el güerito que cuidé.
Recuerdo cambiar su pañal
y preparar su botella en los
departamentos
donde vivían mientras tía Dora
y tío Archie salían.
Mi hermoso niño dorado
a quien vi volverse un hombre
joven
llevándolo a reuniones de UMAS
en U.N.C.
"Me enseñaste a ser valiente y
a pelear por los derechos Gay,"
me dijo después.

Y me fui para Califas
dejándolo atrás
perdiéndome entre libros y
teorías inservibles
hasta el día en que me llamó
en Estanford
diciéndome que se quería quitar
la vida
por ser gay.
Y lo amé aun más,
mi valiente niño dorado,
convenciéndole aquella noche
de decirle a tía Dora.
Y lo hizo.
Y la paz llegó a su corazón.
Los años pasaron.
Y mi niño dorado se volvió un
hombre,
se mudó a Boise para trabajar en
Hewlett Packard,
intentos de suicidio por amantes

*This photo was taken one year after
Stevie died in Denver, Colorado at
Stevie's favorite gay bar, Cowboy's,
where I met with Aunt Dora, Stevie's
partner, Bob Bohorquez, and some of
Stevie's closest friends to present this
painting as a gift for Aunt Dora.
Ironically, my visit coincided with the
"Banning of Tommy Stands Alone,"
so everyone teased me about hearing
my name on the radio, on TV and
reading about me in the Colorado
newspapers.*

• • •

*Esta foto fue tomada en el bar gay
favorito de Stevie un año después de
su muerte en Denver, Colorado. Allí
me reuní con Tía Dora, la pareja de
Stevie, Bob Bohórquez, y algunos de
los amigos más cercanos a Stevie
para darle este retrato a Tía Dora
como regalo. Irónicamente, mi visita
coincidió con la prohibición de Tommy
Stands Alone, así que todos me hacían
bromas por oír mi nombre en la radio,
en la tele, y leer acerca de mí en los
periódicos de Colorado.*

STEVIE
for Aunt Dora

He was our golden boy,
el huerito that I babysat.
I remember changing his diaper
and fixing his bottle in the apartments
they lived in while Aunt Dora
and Uncle Archie went out.
My beautiful golden boy
who I watched grow into a young man,
taking him to UMAS meetings at U.N.C.
"You taught me to be courageous and
stand up for Gay rights," he later told me.

And I went away to Califas
leaving him behind,
losing myself in books and useless theories
until the day he called me at Stanford
telling me he wanted to take his life
because he was gay.
And I loved him even more,
my courageous golden boy,
convincing him that night
to tell Aunt Dora.
And he did.
And peace came into his heart.

The years passed
and my golden boy grew into a man,
moving to Boise to work at Hewlett Packard,
suicide attempts over lost lovers,
Aunt Dora running to his side
while I cried in the background
wishing I could do more.
Unsettled years until he finally moved
back to Denver,
a grown man now, my golden boy,
marching for Gay Rights,

perdidos,
tía Dora corriendo a su lado
mientras yo lloraba en el trasfondo
deseando poder hacer más.
Años agitados hasta finalmente mudarse
de regreso a Denver,
un hombre maduro ahora, mi niño dorado,
marchando por los Derechos Gay,
defendiendo la justicia e igualdad
mientras escondía su propio miedo
su lucha personal con el SIDA
doctores
pastillas
camas de hospital
intravenosas
el corazón roto de su madre
y mi corazón sangrante.
Mi niño dorado
más débil ahora,
estómago hinchado,
luchando por no morir,
manejándose a sí mismo al hospital,
cuidándose a sí mismo de regreso a la vida.
Mi Stevie valiente,
el hermano que siempre amé.

speaking out for justice and equality
while hiding his own fear
his personal struggle with AIDS
doctors
pills
hospital Beds
IVs
his mother's heartbreak,
and my bleeding heart.
My golden boy
weaker now,
bloated stomach
fighting not to die,
driving himself to the hospital,
nursing himself back to life.
My brave Stevie,
the brother I always loved.

RUDY
para Betty Ortiz

La muerte no es un fin,
sino un cambio de estación
como la nieve de Colorado
y las memorias de Rudy
amando a Betty,
cuyos días de juventud compartimos,
mis años de adolescencia salvaje.

No teníamos hijos entonces,
sólo sueños e ilusiones
y el amor de Betty hacia Rudy,
un amor inmensurable,
un amor que no podía encontrar,
un amor que envidiaba
hasta hoy
cuando me susurraste, "se ha ido,"
muerto a la edad de cuarenta y un años.

Y me siento aquí ahora
muy lejos en California
rodeada de memorias,
destellos de canas en mi cabello
como las de Rudy,
recordando cómo te amaba,
el alma gentil que te dio su vida
dos hijos amorosos
y el viento que corea su nombre,
un amor que muchos nunca conocerán,
amor de Betty,
no perdido,
no marchado.

"Rudy,"
oigo el viento susurrar cada noche
y sé que Betty no está sola.

RUDY
for Betty Ortiz

Death is not an end,
but a season that changes
like the Colorado snow
and the memories of Rudy
loving Betty,
those youthful days we shared,
my wild teenage years.

We had no children then,
only dreams and illusions
and Betty's love for Rudy,
a love unmeasured,
a love I could not find,
a love I envied
until today
when you whispered, "He's gone,"
dead at the age of forty-one.

And now I sit here
far away in California
surrounded by memories,
glimpses of grey in my hair
like Rudy's own,
remembering how he loved you,
the gentle soul who gave you his life
two loving children
and the wind that chants his name,
a love not many will ever know,
Betty's love,
not lost,
not gone.

"Rudy,"
I hear the wind whisper each night
and I know that Betty is not alone.

*This is Brandi's drawing from a
photograph taken in Berthoud at Dalin's
last apartment before he finally ended up in
the Berthoud rest home where he died. I
would spend hours visiting Dalin before
and after I moved to California in 1978.
Dalin adored Brandi and Bobby.*

• • •

*Esta es un dibujo de Brandi de una foto
que fue tomada en Berthoud en el último
apartamento de Dalin antes que terminara
en su casa de descanso en Berthoud donde
murió. Solía pasar horas visitando a Dalin
antes y después de que me mudé a
California en 1978. Dalin adoraba a
Brandi y Bobby.*

LUNA LLENA DE BOBBY

Brillando fuerte
como sus ojos
espíritu de Quetzalcoatl
volando alto
este quinceavo año
de su vida loca
tarareando a Santana
en su alma azteca
y su mamá poeta
quien recuerda
otra luna llena la
noche que él nació
en Estanford y las
dos mujeres sabias
Kay y Nalini

llevando regalos para
su príncipe Azteca
quien vuela alto en
este quinceavo año
bajo la luna llena
Quetzalcoatl noche
José Alfredo noche
la enorme distancia
que ahora nos une
mi pequeño Fini
sus ojos águilas
brillando fuerte
un joven ahora.

BOBBY'S FULL MOON

Shining fuerte
como sus ojos
Quetzalcoatl spirit
soaring alto
this fifteenth year
de su vida loca
humming to Santana
in his Aztec soul
y su poeta mom
who remembers
otra luna llena the
night he was born
en Estanford y las
two wise women
Kay and Nalini
bearing gifts for
her Aztec prince
who soars alto on
this fifteenth year
bajo la luna llena
Quetzalcoatl noche
José Alfredo noche
la enorme distancia
that now binds us
my little Fini
sus ojos áquilas
shining fuerte
a young man now.

LA DESPEDIDA

Una docena de tortillas
para Bobby
hechas en casa
tortillas de harina
receta pasada
de Amá a Mamá
luego a mí,
mis lágrimas en ellas
mientras amaso la masa
la mañana que dijiste
adiós
mi hombrecito
se ha ido a recuperar
así es que cocino
una docena de tortillas
para mi dieciseisañero
mi bebé Doctorado en Estanford
nacido en una luna llena
mi pequeño güerito
que recuerda a todos
en el Johnstown de Fini
dejando la casa hoy
dejando mi vientre cansado
con esta docena de tortillas
llenas de su mamá.

La despedida

A dozen tortillas
for Bobby
homemade
tortillas de harina
recipe handed down
from Amá to Mom
then to me
my lágrimas in them
as I knead the masa
the morning you say
goodbye
my little man
he's gone to dry out
so I cook
a dozen tortillas
for my 16 year old
my Stanford Ph.D. baby
born on a full moon
my little huerito
who reminds everyone
in Johnstown of Fini
leaving home today
leaving my tired womb
with his dozen tortillas
llenas de su mamá.

BRANDI

Esta mañana de junio mientras salgo a Colorado,
mi niña Brandi a mi lado,
una mujer ahora,
cara morena y belleza interna,
me hace dar cuenta qué bella es la vida
mientras miro a sus ojos de Madre Tierra,
aquella sonrisa tierna qué atraviesa mi corazón,
invade mi arma solitaria,
recordándome el amor de Francisca,
el legado que cada uno de nosotros lleva dentro,
mi pequeña niña entrada a los treinta,
una mujer ahora que ama a su Mamá
como yo a Francisca,
quien adora a su hijo como yo al mío,
como mamá amó a Fini.
Tres generaciones de mujeres de la tierra
contemplándome esta mañana mientras compartímos
una taza de café fuerte,
mientras hablamos de extrañar la casa,
del vacío cuando partí,
mi hija mujer fuerte
ahora una Adelita,
atreviéndose a vivir su propia vida
en su propia manera independiente,
manejando sola a Califas desde Colorado,
llenando el tanque de gasolina ella misma,
pagando sus propias cuentas,
siendo su propio ser justo como su Mamá,
mi hijita intrépida que añora mi amor
inconsciente que ya es de ella,
mi hija de vientre Brandi cuyo amor
y aprobación yo también busco,
inconsciente que ya es mío.

BRANDI

This June morning as I leave for Colorado,
mi niña Brandi at my side,
a woman now,
cara morena y belleza interna,
she makes me realize how beautiful life is
as I gaze into her Mother Earth eyes,
that tender smile that pierces my heart,
invades my solitary soul,
reminding me of Francisca's love,
the legacy we each carry inside,
my little girl turned thirty,
a woman now who loves her Mamá
as I do Francisca,
who adores her son as I do my own,
as Mom did Fini.
Three generations of mujeres de la tierra
staring at me this morning as we share
a strong cup of coffee,
as we speak of missing home,
of the emptiness when I leave,
my strong hija mujer
an Adelita now,
daring to live her own life
her own independent way,
driving alone to Califas from Colorado,
pumping her own gas,
paying her own bills,
being her own self just like her Mamá,
my fearless hijita who yearns for my love
unaware that it's already hers,
my womb child Brandi whose love
and approval I also seek,
unaware that it's already mine.

*A young proud Francisca
working in the sugarbeet
fields of northern Colorado.*

• • •

*Una joven y orgullosa
Francisca trabajando en los
campos de betabel en el norte
de Colorado.*

LOCURA LOVE

Quiero ser tu obsesión
la más salvaje que has
imaginado
o soñado,
tu Juana Gabriel
tu arte vuelto a la vida
vata loca rosa
bailando con tigres púrpura
en una cantina de Cuernavaca
o quizá en el tugurio local.

Quiero ser tu obsesión
la más traviesa que has creado

o tenido,
tu Virgen Quetzalcoatl
fumando un toque
o desnudándose el pecho
volando alto como águila
arriba de Tepoztlán
riéndose como loca de
los Dioses.

Quiero ser tu obsesión,
obsesionarte
obsesionarme
obsesionarnos.

I was around seventeen years old when this photo was taken in Juárez, México, with my cousin, Edward Molinar, who is sitting to my left, and my cousin, Angel Molinar, who still lives in Juárez.

• • •

Tenía como diecisiete años cuando esta foto fue tomada en Juárez, México, con mi primo Edward Molinar, quien está sentado a mi izquierda, y mi primo, Ángel Molinar, quien todavía vive en Juárez.

LOCURA LOVE

Quiero ser tu obsesión
the wildest one you've ever imagined
or dreamt,
tu Juana Gabriel
tu arte come to life
pink vata loca
dancing with purple tigers
in a Cuernavaca cantina
or maybe the local dive.

Quiero ser tu obsesión
the naughtiest one you've ever created
or had,
tu Virgen Quetzalcoatl
smoking a joint
or baring her chest
soaring high como áquila
above Tepotzlán
laughing wildly at the Gods.

Quiero ser tu obsesión,
obsesionarte
obsesionarme
obsesionarnos.

POEMA 20

Puedo escribir los versos mas eróticos esta noche.
Me tocas con tus manos fuertes de miel
cubriéndome con el fértil sabor de tus besos calientes.

Y la luna sonriente.
Y la noche eterna.
Y tus caricias de amante.
Me amaste.
Yo lo sé.
Te amé.
Yo te sentí.

Puedo escribir los versos más eróticos esta noche.
Mi boca llena de tu jugo dulce y amargo.
Mis labios rosados por devorar a mi amante,

Y las estrellas verdes.
Y las montañas rojas.
Y mis caricias de amante.
Te amé.
Yo lo sé.
Me amaste.
Yo te sentí.

Sentirte adentro y saber que naciste para amarme.
Sentirte adentro y saber que yo nací para amarte.
Y el viento sensual
Y el mar tumultuoso
Y tus mordidas ardientes.

Puedo escribir los versos más eróticos esta noche.

POEMA 20

Tonight I can write the most erotic verses.
You touch me with your strong hands of honey
enveloping me with the taste of your passionate kisses.

And the mischievious moon.
And the eternal night.
And your lover's caresses.
You loved me.
This I know.
I loved you.
This I felt.

Tonight I can write the most erotic verses.
My lips filled with your bittersweet taste.
My lips cracked from devouring my lover.

And the green stars.
And the scarlet mountains.
I loved you.
This I know.
You loved me.
This I felt.

To feel you inside and know that your were born to love me.
Te feel me inside and know that I was born to love you.
And the sensual wind.
And the tumultuous ocean.
And your ardent bite.

Tonight I can write the most erotic verses.

MI AMANTE #3

Tú
mis amantes eres
mi Picasso enjaulado
con pómulos aztecas
quien trae sonrisas a mi alma
con tu arte revolucionario.

Tú
mis amantes eres
el Chicano barbón a mi lado
aquellos días pasados de los 60s
esperando en las filas de asistencia pública
Vietnam en nuestras mentes.

Tú
mis amantes eres
el de mis versos locos
quien reposa de noche a mi lado
esculpiendo mi cuerpo tiernamente
hasta que solo existo en ti.

Tú
mis amantes eres
mi amante Hindú del barrio
quien crea arte de bolsas de papel
y me llena de pasión estas noches solitarias
cuando no me aguanto más.

Tú,
    sólo
      tú,
        mis amantes eres.

My Lover #3

Tú
mis amantes eres
my caged Picasso
with the Aztec cheekbones
who brings sonrisas to my soul
con tu arte revolucionario.

Tú
mis amantes eres
the bearded Chicano at my side
those days gone by de los 60s
standing on welfare lines
Vietnam on our minds.

Tú
mis amantes eres
el de mis versos locos
who lays by my side at night
sculpting my body tenderly
hasta que sólo existo en ti.

Tú
mis amantes eres
my Hindu lover del barrio
who creates art from brown paper bags
and fills me with passion these lonely nights
when I can't bear myself any longer.

Tú,
      sólo
      tú,
      mis amantes eres.

MIS MEJORES AMANTES

Mis mejores amantes
los saco como trofeos
los pulo cada día
los admiro con lujuria de gata
los lamo hasta secar mientras recuerdo cada momento
noches calientes y sexys en San José con Esteban
mirando a su cuerpo perfecto de Adonis
sedienta por su amor
Kathleen dormida en el otro cuatro
cuando descubrimos dos amantes jóvenes
una década de amor es lo que me dio
lo arrancó de su alma gringa
y un niño nacido muerto
como nuestro amor este día.

Mis mejores amantes
los llevo como el delantal gastado de Nana
limpio mis manos con ellos
siento sus caricias en mi carne
mientras paso de cuarto a cuarto
noches de gata
Raúl esperando en Chapultepec
aquellos ojos aprisionándome
mientras me dejo ser su fantasía
semana tras semana en la seductora Zona Rosa
hasta el día que ya no lo necesité
me lo quité y lo puse a secar
susurrando mis adioses eternamente
otro amante desechado
un patrón que repetiría años con año.

Mis mejores amantes
ya no existen
fantasmas como Bernardo
ilusiones de mi pasado de gata
sueños locos de una joven inocente

MIS MEJORES AMANTES

Mis mejores amantes
I take them down like trophies
polish them cada día
admire them with gata lust
lick them dry as I remember each moment
hot sexy San José noches con Esteban
gazing at his perfect Adonis body
thirsty for his love
Kathleen asleep en el otro cuarto
as we discovered two young lovers
a decade of love is what he gave me
wrenched it out of his gringo soul
y un niño nacido muerto
como nuestro amor este día.

Mis mejores amantes
I wear them like Nana's frayed apron
I wipe my hands with them
feel their caresses on my flesh
as I wander from room to room
gata nights
Raúl waiting at Chapultepec
aquellos ojos aprisionándome
as I let myself become his fantasy
week after week en la sultry Zona Rosa
until the day I no longer needed him
took him off and hung him up to dry
whispering my goodbyes forever
otro amante discarded
a pattern I would repeat year after year.

Mis mejores amantes
ya no existen
fantasmas like Bernardo
illusions of my gata past
sueños locos de una joven inocente

quien pensaba que el amor lo conquistaba todo
una tonta poeta con amantes falsos
imágenes poéticas de amor
sólo para despertar una mañana
mirar a la urna vacía de trofeos
todos idos ahora
mujer sin carne.

who thought love conquered all
una tonta poeta with false lovers
poetic images de amor
only to wake up one morning
stare at the empty trophy case
all gone now
Fleshless mujer.

Amante faustino

Hay noches que muerden
como perros rabiosos
por no estar a tu lado
sentir tus brazos apretarme
tu olor campero en mis labios
aquella mirada hechizadora.

Hay noches solitarias
como las tumbas de mi pueblo
hondas y frías
distanciadas del calor del día
del dulce sabor de la brisa
del amargo amanecer de tus labios
que tanto me hacen estremecer.

Hay noches que rasguñan
al encontrarme sola en la cama
encerrada en esta existencia oscura
no sabiendo cuándo estaremos juntos
no sabiendo cuándo despertarás
a mi lado para siempre
en vez de esta maldita soledad
que tanto me persigue
que tanto me golpea
que tanto me hace gritar
maldecir mi nombre
y mis pies
y mis uñas
y mi piel xipetoteca
y estos huesos moribundos
que me cargan de un lado a otro
como bulto pesado
como árbol sin tronco
por haberte amado tanto
por haberte conocido una

FAUSTIAN LOVER

There are nights that wound
like rabid dogs because
I can't be at your side
feel your arms hold me tight
your earthen smell on my lips
your bewitching stare.

Thre are solitary nights
like the graveyards of my pueblo
deep, cold, distanced
from the heat of the day
the honey taste of the breeze
the bitter dawn in your lips
that makes me shudder.

There are nights that tear at the flesh
when I find myself alone in bed
cloistered in this somber existence
not knowing when we'll be together
not knowing when I will awaken
with you at my side forever
instead of this damned solitude
that incessantly chases me
that incessantly hurts me
that incessantly makes me scream
curse my own name
my feet
my nails
my Xipetoltec skin
and these dying bones
that carry me from place to place
a heavy burden
like a limbless tree
for having loved you intensely
for having found you in one city

más otra vez en una
más otra ciudad
la misma cara
los mismos ojos
los mismos besos
las mismas palabras de amor.

Hay noches solitarias
asesinas
faustinas
inolvidables como tu recuerdo.

after the next
the same face
the same eyes
the same kisses
the same words of love.

There are solitary nights
murderous
faustian
like your memory–unforgettable.

TU RECUERDO Y YO

Amor roto
amor despostillado
tu recuerdo y yo Amor
Tú, mis amantes fuiste Amor
No Puedo Dejar de Amarte Amor
Me He Decidido Amor
Chingarme Amor
Chingarte Amor
Debió Ser la Locura
De los Dioses Amor
Menudo Amor
No Me Lastimes Amor
Pintura Amor
Podemos Lograrlo Amor
No Estoy Tan Segura Amor
Loco Amor
Amándote Mal Amor
No Puedo Tener Satisfacción Amor
Diciembre Amor
Locura Amor
Sangrándome hasta secarme Amor
Quiero Correr Amor
Eres mi todo Amor
Y qué Amor
Poema 20 Amor
Hasta que te conocí Amor
Me quiero emborrachar Amor
Me vuelves Loca Amor
Destino Amor
Montaña Mágica Amor
Quiero dar la media vuelta Amor
Hermelinda y Roberto Amor
Puro amor puro Amor
Adónde vamos Amor
Duele tanto Amor

TU RECUERDO Y YO

Cracked Love
Chipped Love
Tu recuerdo y yo Love
Tú, mis amantes fuiste Love
I Can't Stop Loving You Love
I've Made Up My Mind Love
Chingarme Love
Chingarte Love
Must Have Been the Locura
De los Gods Love
Menudo Love
Don't Hurt Me Love
Pintura Love
We Can Make It Love
I'm Not So Sure Love
Mad Love
Loving You Bad Love
I Can't Get No Satisfaction Love
December Love
Locura Love
Bleeding Me Dry Love
I Want to Run Love
Eres mi todo Love
Y qué Love
Poema 20 Love
Hasta que te conocí Love
Me quiero emborrachar Love
You Drive Me Crazy Love
Destino Love
Magic Mountain Love
Quiero dar la media vuelta Love
Hermelinda y Roberto Love
Puro amor puro Love
Adónde vamos Love
It Hurts so Bad Love

Frida y Diego Amor
Tu Incondicional Amor Amor
Ojalá nunca hubiera nacido Amor
Aguantando anónimamente los Días Amor
Fugitivo Amor
Mujer Crucificada Amor
Cansada de Sangrar Amor
Cansada de Estar Rota Amor
Despostillada Amor
Tu recuerdo y yo Amor

Frida y Diego Love
Tu Unconditional Love Love
Wish I'd Never Been Born Love
Bearing the Days Anonymously Love
Fugitive Love
Mujer Crucificada Love
Tired of Bleeding Love
Tired of Cracked Love
Chipped Love
Tu recuerdo y yo Love.

Coming into Nogalees
para Alicia, Toledo y todas las camaradas en Nogales

La Migra en bicicletas
esos pequeños demonios verdes
pedaleando tras sus mercancías,
¡Ah, que vista!
Tal delicia
en Nogales E. U. de
Buey – !hey! digo
E. U de A.!

Y el elegante nuevo muro
o la línea como dice Toledo,
erigiéndose alta y orgullosa
como un Marine de los EE.UU.
listo a proteger o
dispararles a matar
en Nogales, E.U. ¿de qué?

Y al otro lado
gente a las carreras
listas para saltar muros altos
de un sólo brinco o morir
sin casa en el túnel
con todos los bebés
drogados a las carreras.

Pero, no te aflijas, ése.
!Ponte feliz!
ignorar los hypos drogadictos
en la cruzada,
la pobreza que te rodea
las maquilas que te explotan.

COMING INTO NOGALEES
para Alicia, Toledo y todas las camaradas en Nogales

La Migra on bikes
those little green devils
pedaling their wares,
Oh, what a sight!
Such a delight
in Nogales U. S. of
Buey—hey! I mean
U. S. of A.! sarcastico, sartivico

Y el fancy new muro
or la linea as Toledo says,
standing proud and tall
como U.S. Marine
ready to protect or
shoot them dead
in Nogales, U. S. of ¿qué?

Y al otro lado
gente on the run
ready to leap tall muros
at a single bound or die
homeless en el túnel
with all the drugged out
babies on the run.
Pero, don't worry, ése.
Gotta be merry!
Ignorar los hypos
en la cruzada,
la pobreza que te rodea
las maquilas que explotan.

Tienes que mantenerte enfocado, ese.
¡Alégrate!
¡Todo está bien cherry!
Disfruta esos arcos dorados   *parte de la ironía*
surgiendo imponentes frente a Nogales.
Tómate Tecate en la Tavernita.
Piérdete en las pinturas de Esteban,
esas infinitas
puertas giratorias
que siguen jodiendo a
esta cara indígena que quisieran   *cara*
dividir y separar,   *la gente dicana y mejicana*
pero no pueden   *es la misma*
en Nogales, México,
Nogales, Aztlán.   *¡Unimos!*

You gotta stay focused, ése.
Be merry!
Todo está bien cherry!
Enjoy those golden arches
looming high above Nogales.
Drink Tecate en la Tavernita.
Lose yourself in Esteban's pinturas,
those never-ending
revolving doors
que siguen jodiendo a
esta cara indígena they'd like
to divide and separate,
but can't
in Nogales, México,
Nogales, Aztlán.

LA SERPIENTE
o la Serpiente Encabronada

El exterminador de alta tecnología
mira de su torre de marfil   *ivory tower*
mientras cruzo la línea,
camino a través de puertas giratorias
con tantos otros mexicanos y
la Serpiente dando vueltas arriba alto
viéndose calmada, serena y compuesta
en su piel paramilitar
lista a devorar aquellos que se atrevan.

Y Big Brother sigue mirando
mientras las puertas giratorias de Esteban dan vueltas
y vueltas,
tragando impuestos en la Migra
mientras Bebés drogados a las carreras
buscan una comida caliente en Mi Nueva Casa
un lugar para bañarse y descansar de su vida jodida,
hogares rotos
sueños rotos   *contraste*
agujas rotas.   *imagen que ivory tower*

Y la Serpiente sonriendo serenamente
ajena a la pobreza y represión
empapándose de ese aire caliente de Nogales.

THE SNAKE
or La Serpiente Encabronada

actitud critica

The high tech exterminator
watches de su torre de marfil
as I cross la línea,
walk through revolving doors
con tantos otros mexicanos y
la Serpiente circling high above
looking calm, cool and collected
en su paramilitary skin
ready to devour those who dare.

And Big Brother keeps watching
as Esteban's revolving doors spin
and spin,
swallowing up tax dollars on la Migra
while drugged out Babies on the Run
seek out Mi Nueva Casa for a warm meal
a place to bathe and rest de su vida jodida,
broken homes
broken dreams
broken needles.

Y la Serpiente smiling serenely
oblivious a la pobreza y represión
soaking up that warm Nogales air.

Dejando Nogalees
para mis camaradas en Nogales
(intimate friends)

Dejando el Hotel Americana
con el melenudo Baltí y la Vero
tres Xicanos on the Run
hacia el aeropuerto de Tucson
huyendo de la zona de guerra militar de Nogales
donde La Migra cree que reina.
Y la Gloria Post-Moderna
colgada en la pared del Nogales Café,
viéndose bien con su pelo Warhol
misteriosa pero viva y llena de Videz.

Dejando Nogalees
por segunda vez
mi identidad Xicana intacta
pensando en la fiesta de los Toledo
su espíritu, bondad y su tequila
el Mike y la tórica de los toros
averiguando con Alicia y Maria,
más noche cruzando la línea
para pistear en la Tavernita
bailando en La Casa Vieja,
las botas Zacarías bailando salvajemente,
El Grupo Cenicero en llamas
"Nací para bailar," me dijo Juan,
el estoico Mario a su lado
y el David bien calladito
observando toda la Xicanada nogalense
sin Esteban Michel
mientras la banda toca
"Hang on, Lupita,
Lupita, hang on,"
y La Migra esperando paciente mientras
cruzo de regreso en la madrugada
con David,

*I was touring in Nogales,
Arizona, when my camarada,
Alicia Toledo, said that David
Fernández had painted a portrait
of me and that it was on exhibit
at a local coffee house. I was
deeply honored when they took me
to see it. This portrait now hangs
in my home in San Luis Obispo
where it has been the focus of
various interviews. It later
appeared on the cover of* Nahaul.

● ● ●

*Estaba recorriendo Nogales,
Arizona cuando mi camarada,
Alicia Toledo, dijo que David
Fernández había pintado un
retrato de mí y que estaba en
exhibición en el café local. Me
sentí profundamente honrada
cuando me llevaron a verlo.
Ahora este retrato está colgado en
mi casa en San Luis Obispo
donde ha sido el enfoque de
varias entrevistas. Después
apareció en la portada de*
Nahaul.

LEAVING NOGALEES
para mis camaradas en Nogales

Leaving the Hotel Americana
con el long-haired Balti y la Vero,
three Xicanos on the Run
headed for the Tucson airport,
fleeing the Nogales military War Zone
where La Migra thinks she rules.
Y la Post-Modernist Gloria
hanging on the Nogales Cafe wall,
looking good con su pelo Warhol
eerie but alive y full of Videz.

amaneciendo en el Hotel Americana
llena de sueños de García Lorca, *escribió de gitanos y fascism in ESP*
envuelta segura en el capullo de David.
No más Puertas Giratorias.
No más Zonas de Guerra. *quiere igualidad como Lorca*
No más Escuadrones de la Muerte de la Migra.

Leaving Nogalees
the second time around,
my Xicana identity intact,
pensando en la fiesta de los Toledo
su espíritu, bondad y su tequila,
el Mike y la tórica de los toros
averiguando con Alicia y María,
más noche cruzando la línea
para pistear en la Tavernita,
bailando en La Casa Vieja,
las botas Zacarías dancing wildly,
El Grupo Cenicero on fire
"I was born to dance," me dijo Juan,
el stoic Mario at his side
y el David bien calladito
observando toda la Xicanada nogalense,
sans Esteban Michel
while the band plays on
"Hang on, Lupita,
Lupita, hang on,"
y La Migra waiting patiently as
I cross back en la madrugada
con David,
amaneciendo en el Hotel Americana
llena de García Lorca dreams,
wrapped safely in David's cocoon.
No more Revolving Doors.
No more War Zones.
No more Migra Death Squads.

Dios bendiga a América

Karla Faye Tucker está muerta.
Una asesina asesinada por
la misma sociedad que la creó,
y los Medios saludan su ejecución.
Las familias de la Víctima celebran su
victoria mientras el Mundo observa,
porque no hay Jesucristo
y no hay redención,
solo pecadores como Karla Faye Tucker
quien debe ser crucificada,
cuyo asesino debe ser glorificado,
porque Dios no es uno de nosotros
y el perdón no es sino un pecado
en este Jardín de Eva tecnológico.

Presten atención a la Palabra.
lleven sus armas.
lleven sus pecados
y juzguen,
para que no seáis juzgados primero.

GOD BLESS AMERICA

Karla Faye Tucker is dead.
A murderer murdered by
the same society that created her,
and the Media salutes her execution.
The Victims' families celebrate their
victory as the World watches,
for there is no Jesus Christ
and there is no redemption,
only sinners like Karla Faye Tucker
who must bre crucified,
whose murder must be glorified,
for God is not one of us
and forgiveness is but a sin
in this technological Garden of Eve.

So heed the Word.
Tote your weapons.
Tote your sins
and judge,
least ye be judged first.

[handwritten note: Tóno muy crítico de EE.UU. Hipocracia.]

[handwritten note: Hipocracia/Sartirico]

Esposas de prisión

Otra mujer la enfrenta mientras ella
mira el espejo cada día
marcada y solitaria,
ojos como ríos moribundos.

La observo de cerca mientras ella
espera en la línea con incontables
otras mujeres,
mujeres altas, mujeres rubias,
mujeres hermanas de color
esperando en solitarias líneas de presidio
para ver a sus hombres,
para compartir unas cuantas horas de pasión,
amando
deseando
quizás peleando sobre algo dicho
mal en la solitaria carta de la semana pasada
o quizás diciéndole de cómo
se descompuso el carro o
mi hija está usando heroína otra vez.

Las miro a todas.
Miro esta otra mujer
mientras comparte burritos de
la máquina con el Chicano con quien ella
anhela pasar las noches,
compartiendo sus días tristes,
sus días buenos,
riendo juntos,
preguntándose si algún día ella no volverá
escapar lejos de estos momentos fugaces
de amor,
de este hombre quien le ofrece el mundo
amor eterno,
"Mi copa está rebosante de ti,"
él dijo.

PRISON WIVES

Another woman faces her as she *Tal vez con un doble vida*
stares into the mirror each day
scarred and lonely, *Solitarias*
eyes like dying rivers.

I watch her closely as she
stands in line with countless
other women,
tall women, blond women,
sister women of color
waiting in lonely prison lines
to see their men,
to share a few hours of passion,
loving
lusting
perhaps arguing over something said
wrong in last week's lonely letter
or maybe telling him about how
the car broke down or
my daughter's back on heroin.

I watch them all.
I watch this other woman
as she shares vending machine
burritos with the Chicano she
longs to spend her nights with,
sharing her sad days,
her good days,
laughing together,
wondering if one day she won't come back
run far away from these fleeting moments
of love,
from this man who offers her the world
amor eterno,
"My cup runneth over with you,"
he said.

Esta otra mujer la ronda
no la deja sola para descansar
para reflexionar la vida
para seguir con sus días estables,
esta vida cómoda que ha creado.
Esta otra mujer la sigue,
susurra el nombre de él constantemente
hasta que se encuentra manejando de regreso
una vez más,
esperando en las líneas solitarias de presidio
con esposas solitarias de presidio
preguntándose sí de veras,
"La vida no vale nada."

This other woman haunts her
won't leave her alone to rest
to ponder life
to go on with her stable days,
this comfortable life she's created.
This other woman follows her,
she whispers his name constantly
until she finds herself driving back there
one more time,
standing in lonely prison lines
with lonely prison wives
wondering si de veras,
"La vida no vale nada."

PERDIDA EN AMOR: MUJERES CRUCIFICADAS

Mujeres crucificadas,
ella dice,
y yo miro a sus manos manchadas de sangre
mientras da su identificación al guardia
piecitas de joyería
el bolso de plástico lleno de monedas
estas pocas posesiones ellos permiten
sintiéndose desnuda como Cristo
mientras escudriñan sus ropas
permitiéndole pasar por las vallas metálicas
llevando esta cruz pesada que debe cargar
con tantas otras solitarias esposas de prisión
buscando amor
consuelo,
unas cuantas caricias robadas
para alimentar sus almas dolientes.

Mujer crucificada,
susurra a sí misma
cada jueves por la noche
cada solitaria visita de domingo
sintiendo la sangre escurrir
por sus sienes de Madre Tierra
de esta corona de espinas que lleva
sintiendo los clavos hincándose más profundo
en su solitario corazón de prisión
cada vez que le da un adiós
sólo para encontrarse sola otra vez
contando los días hasta el jueves
anhelando levantar la cruz
y cargarla una vez más.

LOST IN LOVE: MUJERES CRUCIFICADAS

Mujeres crucificadas,
she says,
and I stare at her blood-stained hands
as she hands the guard her I.D.
bits of jewelry
the plastic purse filled with coins
these few possessions they allow
feeling naked like Christ
while they scrutinize her clothes
allowing her to pass through chain-link fences
carrying this heavy cross she must bear
with so many other lonely prison wives
seeking love
solace
a few stolen caresses
to feed their aching souls.

Mujer crucificada,
she whispers to herself
each Thursday evening
each solitary Sunday visit
feeling the blood trickle
down her Mother Earth temples
from this crown of thorns she bears
feeling the nails drive deeper
into her lonely prison heart
each time she bids him goodbye
only to find herself alone again
counting the days until Thursday
yearning to pick up the cross
and carry it one more time.

JOSÉ ANTONIO

Murió José Antonio hoy
este gran amigo de Floricantos *← donde conocieron*
esos días ya pasados cuando nuestro arte
fue rechazado por los críticos literarios.

José Antonio Burciaga y yo *el Gran escritor sartirica.*
aquellos días de locura artística
de Redwood City arte
de que se vaya a la chingada
Estanford
con su bola de "Hispanics"
y política sucia.

La belleza de Antonio
su poesía del alma
aquella voz fuerte que nos hacía
reír y llorar al mismo tiempo
tomando de su cultura siempre
y su Última Cena de Héroes Chicanos.

Adiós, Antonio.
Hasta pronto, Antonio.
No serás olvidado nunca
por mí
por tus hijos
por la sociedad
y un día a mis nietos les diré
con tanto orgullo y pasión
Burciaga y yo
creamos arte juntos
creamos este movimiento artístico chicano.
Simón,
Burciaga y yo.

JOSÉ ANTONIO

Murió José Antonio hoy
this gran amigo de Floricanto
days gone by when we were both
trashed by the críticos por nuestro arte.

Burciaga y yo
aquellos días de locura art
de Redwood City art
de que se vaya a la chingada
Estanford
con su bola de "Hispanics"
y política sucia.

The beauty of Antonio
su poesía del alma
aquella voz fuerte that made us
laugh and cry al mismo tiempo
drinking de su cultura always
y su Last Supper de Chicano Heroes.

Adiós, Antonio.
Hasta pronto, Antonio.
No serás olvidado nunca
por mí
por tus hijos
por la sociedad
y un día a mis nietos les diré
con tanto orgullo y pasión
Burciaga y yo
created arte together
created this movimiento artístico chicano.
Simón,
Burciaga y yo.

LIFERS OF XICANISMO

Montando alto en la locura
con el RCAF en el
Centro Cultural Aztlán
veinte años después en East Los
en el Festival de Cine Xicano,
recordando a César,
los Floricantos de los 70's,
"¿Fuiste a Oshkosh con nosotros?"
me pregunta Louie the Foot
y mi mente vuelve a ese año,
la única Xicana en la van
yendo a Oshkosh del
Milwaukee Canto Al Pueblo
en medio de aquellos vatos locos,
Montoya, Villa, el Rudy,
Juanishi y Louie the Foot.
"Vámonos a Sacra," bromea Rudy,
insistiendo en que brinque a la van esta noche,
y nos reímos felices mientras
decimos dichos de locura
reímos risas de locura,
"¿Oye, estuviste en el Reno Club
para el One More Canto en Sacra?"
me pregunta el Rudy,
"Simón," respondo,
"Solía ser la Chicana Superwoman,"
y la locura risa mientras recordamos
Ricardo Sánchez esa noche y
sus mentadas a todos los borrachos
en la audiencia que no se callaban
mientras recitábamos nuestros versos locura
Louie the Foot recitando su poema clásico,
"Cortés nos chingó in a big way,
güey."

This is one of my favorite photographs that was taken of Tino and I in 1978 at the Floricanto held in Milwaukee, Wisconsin. Tino and I were busy watching artists paint a mural on a building and didn't even realize we were being photographed.

• • •

Esta es una de mis fotos favoritas que fue tomada de Tino y yo en 1978, en el Floricanto llevado a cabo en Milwaukee, Wisconsin. Tino y yo estábamos ocupados viendo artistas pintando un mural en un edificio y ni nos dimos cuenta que nos estaban retratando.

LIFERS OF XICANISMO

Riding high en la locura
con el RCAF at the
Aztlán Cultural Center
twenty years later en East Los
at the Xicano Film Festival,
remembering César,
the Floricantos de los 70s,
 "You went to Oshkosh with us?"
me pregunta Louie the Foot
and my mind flashes to that year,
the only Xicana in the van
headed for Oshkosh del
Milwaukee Canto Al Pueblo
amidst aquellos vatos locos,
Montoya, Villa, el Rudy,

Sonreímos recordando nostálgicamente
esos días locura pasados,
"¿Y qué pasó con la Lorna Dee?"   *Activista, publicó libros por*
me dice Louie the Foot, "Claro que extraño   *los poetas/artistas.*
su Mango Press,"
mientras hablamos de los viejos camaradas,
preguntándonos si todavía están haciendo lo Xicano,
el Juan Felipe el de que "Viva La Causa,"
como nosotros esta noche en East Los
en el Centro Cultural Aztlán,
poniéndonos trucha para la marcha,
25 aniversario del Movimiento Chicano.
"La ciudad no nos dará un permiso,
nos quieren cobrar $30,000 para marchar
en nuestros propios barrios – pero vamos a marchar
de todos modos,"
anuncia uno de los organizadores.
"Todavía estamos en la cárcel," proclama Montoya mientras
acepta su premio Firme con orgullo.
"No pudieron comprar Aztlán así que crearon una guerra
y lo tomaron," dice Louie the Foot admirando
su premio Firme cóctel molotov,
el que él diseñó
de gran manera—güey.
"Siendo un Chicano no tiene nada que ver con
hablar español," dice Moctesuma Esparza, *avionista famosa*
sujetando fuerte su propio premio Firme.

"¿Dónde están las Xicanas para los premios Firme?"
el gentío empieza a corear y quiero gritar,
"Aquí estoy, Ese! He sido firme toda mi vida,"
pero permanezco en el trasfondo con el resto de la
Xicanada,
bien cansada, oprimida y ahüitada,
pensando en la marcha del 26 de agosto de
Belevedere Park hasta Salazar Park.

Juanishi y Louie the Foot.
"Vámonos a Sacra," Rudy teases,
insisting I hop in the van tonight,
y nos reímos felices as we
talk locura talk
laugh locura laughs,
"Oye, were you at the Reno Club
for the One More Canto en Sacra?"
me pregunta el Rudy,
"Simón," I answer,
"I used to be the Superwoman Chicana,"
y la locura laugh as we remember
Ricardo Sánchez esa noche y
sus f-yous a todos los borrachos
in the audience who wouldn't keep quiet
while we recited our locura verses,
Louie the Foot reciting his classic poema,
"Cortés nos chingó in a big way,
huey."

We smile nostalgically remembering
those locura days gone by,
"Y qué pasó con la Lorna Dee?"
me dice Louie the Foot, "Sure miss
her Mango Press,"
as we talk about the old camaradas,
wondering if they're still doing the Xicano thing,
the Juan Felipe que "Viva La Causa" thing,
como nosotros esta noche in East Los
at the Aztlán Cultural Center,
poniéndonos trucha para la marcha,
25th commemoration of the Chicano Movement.
"The City won't give us a permit,
they want to charge us $30,000 for marching
in our own barrios–but we're gonna march anyway,"
anuncia uno de los organizadores.
"We're still in jail," proclama Montoya as he
accepts his Firme award con pride.
"They couldn't buy Aztlán so they created a war

He estado marchando toda mi vida,
les quiero gritar,
no necesito ningún trofeo Firme
tengo mis alas RCAF que me dio Villa,
así que volaré mi propio avión, ese,
estilo Xicana,
estilo Dolores Huerta,
para aquellos días del Movimiento pasados,
para todos los pintos olvidados
para las madres solteras del welfare
para mis hermanas y hermanos afro-americanos,
para la memoria de Rubén Salazar.

representa solaralidad

Heroica
periodista escritor
La policia le mataron injustamente

and took it," dice Louie the Foot admiring
his malatov cocktail Firme award,
the one he designed
in a big way–huey.
"Being a Chicano has nothing to do with
speaking Spanish," dice Moctesuma Esparza,
holding tightly to his own Firme award.

"Where are the Xicanas for the Firme awards?"
the crowd begins to chant and I want to yell out,
"I'm right here, ese! Been firme all my life,"
but I remain in the background con el resto de la
Xicanada,
bien cansada, oprimida y ahüitada,
thinking about the march on August 26 de
Belevedere Park to Salazar Park.
Been marching all my life,
les quiero gritar,
don't need no Firme trophy
got my RCAF wings que me dio Villa,
so I'll fly my own plane, ese,
Xicana style,
Dolores Huerta style,
for those Movimiento days gone by
for all the forgotten pintos
for the welfare single-parent moms
for my Black sisters and brothers,
for the memory of Rubén Salazar.

Big Top Locos

Andando en East Los
con mi Raza
en el concierto de
los Big Top Locos
haciendo eso del Puto Pete
Wilson,
con Culture Clash,
Dr. Loco
El Trío Casindio
y todos los roqueros de East Los
Lysa Flores
Tierra
Abajo con la 187
Liberen a Leonard Peltier
en nuestras mentes
la ciudad erguida a nuestro alrededor,
arte Chicano al máximo
gritando,
"Nosotros no cruzamos ninguna frontera
ellas nos cruzaron."

Andando en East Los
con mi gente
sin armas
sólo paz

Dolores Huerta y
el UFW a nuestro lado
honrando a Cesar
Edúcate, Raza
en mi mente
mientras pienso en
nuestros chavalitos y
la nueva pared de Sida
en Lincoln Park.

mucha de solaralidad.
☆ Humanidaria ☆

Big Top Locos

Hanging in East Los
con mi Raza
at the Big Top Locos
concierto
doing the Puto Pete Wilson
thing
con Culture Clash
Dr. Loco
El Trío Casindio
y todos los East Los rockeros
Lysa Flores
Tierra
Down with 187
Free Leonard Peltier *30 años en prision.*
on our minds
the city looming around us,
Chicano art to the max
shouting out,
"We didn't cross no borders
they crossed us."

Hanging in East Los
con mi gente
no guns
only peace

Luchar por los derechos en los campesino.

Dolores Huerta y
el UFW at our side
honoring César
Edúcate, Raza
on my mind
as I think about
our chavalitos y
la nueva pared de Sida
en Lincoln Park.

Andando en East Los
con mi Raza,
sintiendo ese orgullo
de ser mujer xicana
de ser artista xicana
de ser pura raza
hasta la médula
feliz de estar viva
feliz de ser parte de
El Movimiento
Xicano
Xicana
Power.

Afirmación de su orgulla identidad.

Hanging in East Los
con mi Raza,
feeling ese orgullo
de ser mujer xicana
de ser artista xicana
de ser pura raza
to the bone
glad to be alive
glad to be a part of
El Movimiento
Xicano
Xicana
Power.

ODA A BURCIAGA Y GARCÍA LORCA

En esta locura desciendo
edad techno-pop
Puerta del Cielo suicida
el cometa Halley mirándome
mientras creo versos profanos
enseño clases profanas
perdiéndome en la sangre de García Lorca
los esquadrones de la muerte derechistas que tomaron su vida
como Vietnam lo hizo con Fini
esas lágrimas de angustia que derramé en la noche
por la prematura muerte de José Antonio
el poeta del Movimiento que la sociedad no lamentó
o ni siquiera reconoció.

En esta locura desciendo
como Sor Juana en su celda
tirando mis libros y plumas,
quizás al diablo que me está mirando
o a Madre Tierra que limpia mis lágrimas
me acaricia y me habla de la vida
ofreciéndome reposo de mi vida faustina
las mentiras que debo interpretar para enfrentar la realidad
escuadrones de la muerte académicos
madres muriendo de SIDA
"¿Quién cuidará de mis hijos?"
los recortes constantes de Welfare,
"¿Como alimentaré a mis hijos?"
Atrapados como almas perdidas de Dante
mientras Selena llega al primer lugar en taquilla.

En esta locura aborrezco.

ODE TO BURCIAGA Y GARCÍA LORCA

Into this madness I descend
techno-pop age
suicidal Heaven's Gate
the Halley comet watching me
as I create profane verses
teach profane classes
losing myself in García Lorca's blood
right-wing death squads that took his life
like Vietnam did with Fini
those tears of anguish I shed at night
for José Antonio's untimely death
the Movimiento Poet society didn't mourn
or even acknowledge.

Into this madness I descend
like Sor Juana in her cell
casting away my books and pens,
perhaps to the devil who is watching me
or Mother Earth who wipes away my tears
caresses me and speaks to me of life
offering me repose from my Faustian life
the lies I must construe to face reality
academic death squads
mothers dying of AIDS
"Who will care for my children?"
the constant Welfare cuts,
"How will I feed my children?"
Trapped like Dante's lost souls
while Selena hits number one at the box office.

Into this madness I abhor.

Ana María

¿Quién escribirá de Ana María Sandoval
de su grandeza, coraje y belleza,
de su dedicación desinteresada a La Causa
esas horas interminables de hablar por nuestros
hijos con las mesas directivas escolares insensibles,
organizando La Raza aquel 16 de septiembre
durante los históricos WALK OUTS en las escuelas de Denver,
el Movimiento Chicano reanimado en 1994?

A pesar de su situación ella continuó a luchar por Aztlán.

¿Quién escribirá de Ana María Alire,
la gran mujer guerrera peleando por Aztlán
por igualdad y la dignidad humana
mientras lucha por su propia vida,
la desdichado enfermedad en su delicado cuerpo,
el desdichado tanque de oxígeno que debe llevar,
anhelando dejar su legado
para todas esas jóvenes Xicanitas,
para su propia hija,
para mí,
para El Movimiento?

Yo escribiré de ti, Ana María.
Escribiré tus poemas e historias.
No te dejaré morir olvidada y sola,
olvidada como una piedra tirada.
Cantaré tus corridos,
gritaré tu nombre dondequiera que vaya,
en solitarias calles del barrio,
en ciudades aglomeradas,
en libros aun no escritos.

Ana María

Who will write about Ana María Sandoval
of her greatness, courage and beauty,
of her unselfish giving to La Causa
those endless hours speaking out for our
children with insensitive school boards,
organizing La Raza aquel 16 de septiembre
during the historic Denver School Walk Outs,
Chicano Movement revived in 1994?

Who will write about Ana María Alire,
the great woman warrior fighting for Aztlán
for human dignity and equality
while struggling for her own life,
the wretched disease in her frail body,
the wretched oxygen tank she must carry,
longing to leave her legacy behind
for all those young Xicanitas,
for her own daughter,
for me,
for El Movimiento?

I will write about you, Ana María.
I will write your poems and stories.
I won't let you die forgotten and alone,
olvidada como una piedra tirada.
I will sing your corridos,
shout your name wherever I go,
in lonely barrio streets,
in crowded cities,
in books not yet written.

Y nuestros hijos te recordarán, Ana María.
Corearán tu nombre a los Dioses
con orgullo y dignidad Xicano.
Llamarán tu espíritu para guiarles
en sus luchas, sueños y jornadas.

Y la historia Xicana registrará,
Ana María Sandoval vino hoy.
Ana María vive.

And our children will remember you, Ana María.
They will chant your name to the Gods
with Xicano pride and dignity.
They will call out to your spirit to guide them
in their struggles, dreams and journeys.

And Xicana history will record,
Ana María Sandoval came today.
Ana María lives on.

Xicana Power Trip
for the young girls que se dejan y
las que no se dejan

Speak up, mujer!
Sube la voz.
Alza la mano,
no dejes que te encierren
en tu propio silencio.
Dare to speak out.
Dare to be different.
Dare to create tu propia identidad,
la de tu madre y abuelita
y todas aquellas mujeres adelitas.

Speak up, Xicanita!
Tell those young loverboy vatos
Chale, ese!
I've got my own sweet dreams.
Don't want to get pregnant at fifteen
to raise babies solita.
Don't want to be your marijuana baby,
drugged out at twenty-one.
Quiero ser revolucionaria,
mujer de valores,
mujer educada,
mujer Sor Juana.

So speak up, mujer!
Sube la voz.
Alza la mano.
Do it RIGHT NOW.

Jan. 27, 1999
Gloria Velásquez
written during my Corpus Christi gig.

ADELANTE ADELITAS

This is the same artist who did the cover art for
I Used to Be a Superwoman.

• • •

Este es el mismo artista que hizo el trabajo artístico
de la portada para I used to be a Superwoman.

Xicana Power Trip

for the young girls que se dejan y las que no se dejan

Otra vez tema de la mujer

Speak up, mujer!
Sube la voz.
Alza la mano,
no dejes que te encierren
en tu propio silencio.
Dare to speak out.
Dare to be different.
Dare to create tu propia identidad,
la de tu madre y abuelita
y todas aquellas mujeres adelitas.

Speak up, Xicanita!
Tell those young loverboy vatos
Chale, ese!
I've got my own sweet dreams.
Don't want to get pregnant at fifteen
to raise babies alone.
Don't want to be your marijuana baby,
drugged out at twenty-one.
Quiero ser revolucionaria,
mujer de valores,
mujer educada,
mujer Sor Juana.

So speak up, mujer!
Sube la voz.
Alza la mano.
Do it RIGHT NOW.

This photo was taken in Loveland, Colorado, at one of the farms where Dalin and Nana lived. When we were little, Fini and I used to stay for weeks at a time with Dalin and Nana. In the picture, I'm standing in front between Dalin and Nana, Uncle Louie is to the left of Dalin and Aunt Agnes is sitting on the hood of the car.

• • •

Esta foto fue tomada en Loveland, Colorado, en una de las granjas donde vivieron Dalin y Nana. Cuando éramos pequeños, Fini y yo solíamos quedarnos por varias semanas a la vez con Dalin y Nana. En la foto, estoy parada enfrente entre Dalin y Nana, Tío Louie está a la izquierda de Dalin y tía Agnes está sentada en el cofre del carro.

XICANA ON THE RUN

Soy chingona y qué, I say
con el orgullo de mi madre
the woman who worked in the fields
of Colorado y Tejas,
raised two children alone
with an alcoholic husband,
gave her only son to Vietnam
then buried him next to the
only man she ever loved.

Soy chingona, to the max, I repeat.
Profa unamuniana
Cantinflas-like at times
conjugating verbs en la pizarra
while dancing to Dr. Loco y su Picket Sign
the one I used to carry for the Movimiento
doing the Cruzade for Justice thing
my Adelita Woman Warrior days gone by.

Soy chingona, ése, te lo juro.
Ain't got no viejo to push me around
tell me my skirt's too tight or
that my chi chis hang too low
that I got no business comadreando
or studying for that matter
that I gotta cook them tortillas
make that chile picoso,
Xicana on the run
con sus Nikes y molcajete.

Soy chingona, baby, that's right.
Won't stay locked up in your cantón no more,
got my own dreams and places to go.
So, ponte trucha, baby.
Don't walk on my wild side,
Y ya deja de chingar.

Afirmacion de chingona

111 |